Sóngoro Cosongo y otros poemas

Sección: Literatura

Nicolás Guillén:
Sóngoro Cosongo y otros poemas
Selección del autor

El Libro de Bolsillo
Alianza Editorial
Madrid

®

Primera edición en «El Libro de Bolsillo»: 1981
Segunda reimpresión en «El Libro de Bolsillo»: 1991

© Alianza Editorial, S. A., Madrid, 1981, 1991
    Calle Milán, 38; 28043 Madrid; teléf. 200 00 45
    ISBN: 84-206-1815-2
    Depósito legal: M. 3.648-1991
    Papel fabricado por Sniace, S. A.
    Compuesto por Fernández Ciudad, S. L.
    Impreso en Closas-Orcoyen, S. L. Polígono Igarsa
    Paracuellos de Jarama (Madrid)
    Printed in Spain

Poemas mulatos

Negro bembón

¿Po qué te pone tan brabo,
cuando te disen negro bembón,
si tiene la boca santa,
negro bembón?

Bembón así como ere
tiene de to;
Caridá te mantiene,
te lo da to.

Te queja todabía,
negro bembón;
sin pega y con harina,
negro bembón,
majagua de dri blanco,
negro bembón;
sapato de do tono,
negro bembón...

Bembón así como ere,
tiene de to;
Caridá te mantiene,
te lo da to.

(Motivos de son, 1930)

Mulata

Ya yo me enteré, mulata,
mulata, ya sé que dise
que yo tengo la narise
como nudo de cobbata.

Y fíjate bien que tú
no ere tan adelantá,
poqque tu boca e bien grande,
y tu pasa, colorá.

Tanto tren con tu cueppo,
tanto tren;
tanto tren con tu boca,
tanto tren;
tanto tren con tu sojo,
tanto tren.

Si tú supiera, mulata,
la veddá;
¡que yo con mi negra tengo,
y no te quiero pa na!

(Motivos de son, 1930)

Sóngoro Cosongo

¡Ay, negra,
si tú supiera!
Anoche te vi pasar,
y no quise que me viera.
A él tú le hará como a mí,
que cuando no tuve plata
te corrite de bachata,
sin acordarte de mí.

Sóngoro, cosongo,
songo be;
sóngoro, cosongo
de mamey;
sóngoro, la negra
baila bien;
sóngoro de uno,
sóngoro de tré.

Aé,
vengan a ver;
aé, vamo pa ver;
¡vengan, sóngoro cosongo,
sóngoro cosongo
de mamey!

                                        (*Motivos de son*, 1930)

Tú no sabe inglé

Con tanto inglé que tú sabía,
Bito Manué,
con tanto inglé, no sabe ahora
desí ye.

La mericana te buca,
y tú la tiene que huí:
tu inglé era de etrái guan,
de etrái guan y guan tu tri.

Bito Manué, tú no sabe inglé,
tú no sabe inglé,
tú no sabe inglé.

No te enamore má nunca,
Bito Manué,
si no sabe inglé,
si no sabe inglé.

(*Motivos de son,* 1930)

Llegada

¡Aquí estamos!
La palabra nos viene húmeda de los bosques,
y un sol enérgico nos amanece entre las venas.
El puño es fuerte
y tiene el remo.

En el ojo profundo duermen palmeras exorbitantes.
El grito se nos sale como una gota de oro virgen.
Nuestro pie,
duro y ancho,
aplasta el polvo en los caminos abandonados
y estrechos para nuestras filas.
Sabemos dónde nacen las aguas,
y las amamos porque empujaron nuestras canoas bajo los
                                        [cielos rojos.
Nuestro canto
es como un músculo bajo la piel del alma,
nuestro sencillo canto.

Traemos el humo en la mañana,
y el fuego sobre la noche,
y el cuchillo, como un duro pedazo de luna,
apto para las pieles bárbaras;
traemos los caimanes en el fango,
y el arco que dispara nuestras ansias,
y el cinturón del trópico,

y el espíritu limpio.
Traemos
nuestro rasgo al perfil definitivo de América.

¡Eh, compañeros, aquí estamos!
La ciudad nos espera con sus palacios, tenues
como panales de abejas silvestres;
sus calles están secas como los ríos cuando no llueve en
[la montaña,
y sus casas nos miran con los ojos pávidos de las ventanas.
Los hombres antiguos nos darán leche y miel
y nos coronarán de hojas verdes.

¡Eh, compañeros, aquí estamos!
Bajo el sol
nuestra piel sudorosa reflejará los rostros húmedos de
[los vencidos,
y en la noche, mientras los astros ardan en la punta
   de nuestras llamas,
nuestra risa madrugará sobre los ríos y los pájaros.

                              (*Sóngoro cosongo*, 1931)

La canción del bongó

Ésta es la canción del bongó:
—Aquí el que más fino sea,
responde, si llamo yo.
Unos dicen: Ahora mismo,
otros dicen: Allá voy.
Pero mi repique bronco,
pero mi profunda voz,
convoca al negro y al blanco,
que bailan el mismo son,
cueripardos y almiprietos
más de sangre que de sol,
pues quien por fuera no es noche,
por dentro ya oscureció.

Aquí el que más fino sea,
responde, si llamo yo.

En esta tierra, mulata
de africano y español
(Santa Bárbara de un lado,
del otro lado, Changó),
siempre falta algún abuelo,
cuando no sobra algún Don
y hay títulos de Castilla
con parientes en Bondó:
Vale más callarse, amigos,
y no menear la cuestión,
porque venimos de lejos,
y andamos de dos en dos.
Aquí el que más fino sea,
responde si llamo yo.

Habrá qiuen llegue a insultarme,
pero no de corazón;
habrá quién me escupa en público,
cuando a solas me besó...
A ése, le digo:
                —Compadre,
ya me pedirás perdón,
ya comerás de mi ajiaco,
ya me darás la razón,
ya me golpearás el cuero,
ya bailarás a mi voz,
ya pasearemos del brazo,
ya estarás donde yo estoy:
ya vendrás de abajo arriba,
¡que aquí el más alto soy yo!

(Sóngoro cosongo, 1931)

Pequeña oda a un negro boxeador cubano

Tus guantes
puestos en la punta de tu cuerpo de ardilla,
y el punch de tu sonrisa.

El Norte es fiero y rudo, boxeador.
Ese mismo Broadway,
que en actitud de vena se desangra
para chillar junto a los rings
en que tú saltas como un moderno mono elástico,
sin el resorte de las sogas,
ni los almohadones del clinch;
ese mismo Broadway
que unta de asombro su boca de melón
ante tus puños explosivos
y tus actuales zapatos de charol;
ese mismo Broadway,
es el que estira su hocico con una enorme lengua húmeda,
para lamer glotonamente
toda la sangre de nuestro cañaveral.

De seguro que tú
no vivirás al tanto de ciertas cosas nuestras,
ni de ciertas cosas de allá,
porque el training es duro y el músculo traidor,
y hay que estar hecho un toro,
como dices alegremente, para que el golpe duela más.
Tu inglés,
un poco más precario que tu endeble español,
sólo te ha de servir para entender sobre la lona
cuanto en su verde slang
mascan las mandíbulas de los que tú derrumbas
jab a jab.

En realidad acaso no necesitas otra cosa,
porque como seguramente pensarás,
ya tienes tu lugar.
Es bueno, al fin y al cabo,

hallar un punching bag,
eliminar la grasa bajo el sol,
saltar,
sudar,
nadar,
y de la suiza al shadow boxing,
de la ducha al comedor,
salir pulido, fino, fuerte
como un bastón recién labrado
con agresividades de black jack.

Y ahora que Europa se desnuda
para tostar su carne al sol
y busca en Harlem y en La Habana
jazz y son,
lucirse negro mientras aplaude el bulevar,
y frente a la envidia de los blancos
hablar en negro de verdad.

                              (*Sóngoro cosongo*, 1931)

Mujer nueva

Con el círculo ecuatorial
ceñido a la cintura como a un pequeño mundo,
la negra, mujer nueva,
avanza en su ligera bata de serpiente.

Coronada de palmas
como una diosa recién llegada,
ella trae la palabra inédita,
el anca fuerte,
la voz, el diente, la mañana y el salto.

Chorro de sangre joven
bajo un pedazo de piel fresca,
y el pie incansable
para la pista profunda del tambor.

                              (*Sóngoro cosongo*, 1931)

Madrigal

De tus manos gotean
las uñas, en un manojo de diez uvas moradas.

Piel,
carne de tronco quemado,
que cuando naufraga en el espejo, ahúma
las algas tímidas del fondo.

(Sóngoro cosongo, 1931)

Madrigal

Tu vientre sabe más que tu cabeza
y tanto como tus muslos.
Ésa
es la fuerte gracia negra
de tu cuerpo desnudo.

Signo de selva el tuyo,
con tus collares rojos,
tus brazaletes de oro curvo,
y ese caimán oscuro
nadando en el Zambeze de tus ojos.

(Sóngoro cosongo, 1931)

Canto negro

¡Yambambó, yambambé!
Repica el congo solongo,
repica el negro bien negro;
congo solongo del Songo
baila yambó sobre un pie.

Mamatomba,
serembe cuserembá.

El negro canta y se ajuma,
el negro se ajuma y canta,
el negro canta y se va.
Acuememe serembó,
                    aé;
            yambó,
                    aé.

Tamba, tamba, tamba, tamba,
tamba del negro que tumba;
tumba del negro, caramba,
caramba, que el negro tumba:
¡yamba, yambó, yambambé!

                              (*Sóngoro cosongo*, 1931)

Rumba

La rumba
revuelve su música espesa
con un palo.
Jengibre y canela...
¡Malo!
Malo, porque ahora vendrá el negro chulo
con Fela.

Pimienta de la cadera,
grupa flexible y dorada:
Rumbera buena,
rumbera mala.

En el agua de tu bata
todas mis ansias navegan:
Rumbera buena,
rumbera mala.

Anhelo el de naufragar
en ese mar tibio y hondo:
¡Fondo
del mar!

Trenza tu pie con la música
el nudo que más me aprieta:
Resaca de tela blanca
sobre tu carne trigueña.
Locura del bajo vientre,
aliento de boca seca;
el ron que se te ha espantado,
y el pañuelo como rienda.

Ya te cogeré domada,
ya te veré bien sujeta,
cuando como ahora huyes,
hacia mi ternura vengas,
rumbera
buena;
o hacia mi ternura vayas,
rumbera
mala.
No ha de ser larga la espera,
rumbera
buena;
ni será eterna la bacha,
rumbera
mala;
te dolerá la cadera,
rumbera
buena;
cadera dura y sudada,
rumbera
mala...
¡Último
trago!
Quítate, córrete, vámonos...
¡Vamos!

                                        (*Sóngoro cosongo*, 1931)

Chévere

Chévere del navajazo,
se vuelve él mismo navaja:
Pica tajadas de luna,
mas la luna se le acaba;
pica tajadas de canto,
mas el canto se le acaba;
pica tajadas de sombra,
mas la sombra se le acaba,
y entonces pica que pica
carne de su negra mala.

                              (*Sóngoro cosongo*, 1931)

Velorio de Papá Montero

Quemaste la madrugada
con fuego de tu guitarra:
Zumo de caña en la jícara
de tu carne prieta y viva,
bajo la luna muerta y blanca.
El son te salió redondo
y mulato, como un níspero.

Bebedor de trago largo,
garguero de hoja de lata,
en mar de ron barco suelto,
jinete de la cumbancha:
¿Qué vas a hacer con la noche,
si ya no podrás tomártela,
ni qué vena te dará
la sangre que te hace falta,
si se te fue por el caño
negro de la puñalada?

¡Ahora sí que te rompieron,
Papá Montero!

En el solar te esperaban,
pero te trajeron muerto;
fue bronca de jaladera,
pero te trajeron muerto;
dicen que él era tu ecobio,
pero te trajeron muerto;
el hierro no apareció,
pero te trajeron muerto.

Ya se acabó Baldomero:
¡Zumba, canalla y rumbero!

Sólo dos velas están
quemando un poco de sombra;
para tu pequeña muerte
con esas dos velas sobra.
Y aún te alumbran, más que velas,
la camisa colorada
que iluminó tus canciones,
la prieta sal de tus sones
y tu melena planchada.

¡Ahora sí que te rompieron,
Papá Montero!

Hoy amaneció la luna
en el patio de mi casa;
de filo cayó en la tierra
y allí se quedó clavada.
Los muchachos la cogieron
para lavarle la cara,
y yo la traje esta noche
y te la puse de almohada.

(Sóngoro cosongo, 1931)

Organillo

El sol a plomo. Un hombre
va al pie del organillo.
Manigueta: «Epabílate, mi conga,
mi conga...»

Ni un quilo en los bolsillos,
y la conga
muerta en el organillo.

                              (*Sóngoro cosongó*, 1931)

Quirino

¡Quirino
con su tres!
La bemba grande, la pasa dura,
sueltos los pies,
y una mulata que se derrite de sabrosura...
¡Quirino
con su tres!

Luna redonda que lo vigila cuando regresa
dando traspiés;
jipi en la chola, camisa fresa...
¡Quirino
con su tres!

Tibia accesoria para la cita;
la madre —negra Paula Valdés—
suda, envejece, busca la frita...
¡Quirino
con su tres!

                              (*Sóngoro cosongó*, 1931)

Secuestro de la mujer de Antonio

Te voy a beber de un trago,
como una copa de ron;
te voy a echar en la copa
de un son,
prieta, quemada en ti misma,
cintura de mi canción.

Záfate tu chal de espumas
para que torees la rumba;
y si Antonio se disgusta
que se corra por ahí:
¡La mujer de Antonio tiene
que bailar aquí!

Desamárrate, Gabriela.
Muerde
la cáscara verde,
pero no apagues la vela;
tranca
la pájara blanca,
y vengan de dos en dos,
que el bongó
se calentó...

De aquí no te irás, mulata,
ni al mercado ni a tu casa;
aquí molerán tus ancas
la zafra de tu sudor;
repique, pique, repique,
repique, repique, pique,
pique, repique, repique,
¡po!

Semillas las de tus ojos
darán sus frutos espesos;
y si viene Antonio luego
que ni en jarana pregunte

cómo es que tú estás aquí...
Mulata, mora, morena,
que ni el más toro se mueva,
porque el que más toro sea
saldrá caminando así;
el mismo Antonio si llega,
saldrá caminando así;
todo el que no esté conforme,
saldrá caminando así...
Repique, repique, pique,
repique, repique, po;
¡prieta, quemada en ti misma,
cintura de mi canción!

(*Sóngoro cosongo*, 1931)

Pregón

¡Ah
qué pedazo de sol,
carne de mango!
Melones de agua,
plátanos.

¡Quencúyere, quencúyere,
quencúyere!
¡Quencúyere, que la casera
salga otra vez!

Sangre de mamey sin venas,
y yo que sin sangre estoy;
mamey p'al que quiera sangre,
que me voy.

Trigueña de carne amarga,
ven a ver mi carretón;
carretón de palmas verdes,
carretón;
carretón de cuatro ruedas,

carretón;
carretón de sol y tierra,
¡carretón!

(Sóngoró cosongo, 1931)

Palabras en el Trópico

Trópico,
tu dura hoguera
tuesta las nubes altas
y el cielo profundo ceñido por el arco del Mediodía.
Tú secas en la piel de los árboles
la angustia del lagarto.
Tú engrasas las ruedas de los vientos
para asustar a las palmeras.

Tú atraviesas
con una gran flecha roja
el corazón de las selvas
y la carne de los ríos.

Te veo venir por los caminos ardorosos,
Trópico,
con tu cesta de mangos,
tus cañas limosneras
y tus caimitos, morados como el sexo de las negras.

Te veo las manos rudas
partir bárbaramente las semillas
y halar de ellas el árbol opulento,
árbol recién nacido, pero apto
para echar a correr por entre los bosques clamorosos.

Aquí,
en medio del mar,
retozando en las aguas con mis Antillas desnudas,
yo te saludo, Trópico.

Saludo deportivo,
primaveral,
que se me escapa del pulmón salado
a través de estas islas escandalosas hijas tuyas.
(Dice Jamaica
que ella está contenta de ser negra,
¡y Cuba ya sabe que es mulata!)

¡Ah,
qué ansia
la de aspirar el humo de tu incendio
y sentir en dos pozos amargos las axilas!
Las axilas, oh Trópico,
con sus vellos torcidos y retorcidos en sus llamas.
Puños los que me das
para rajar los cocos tal un pequeño dios colérico;
ojos los que me das
para alumbrar las sombras de mis tigres;
oído el que me das
para escuchar sobre la tierra las pezuñas lejanas.

Te debo el cuerpo oscuro,
las piernas ágiles y la cabeza crespa,
mi amor hacia las hembras elementales,
y esta sangre imborrable.
Te debo los días altos,
en cuya tela azul están pegados
soles redondos y risueños;
te debo los labios húmedos,
la cola del jaguar y la saliva de las culebras;
te debo el charco donde beben las fieras sedientas;
te debo, Trópico,
este entusiasmo niño
de correr en la pista
de tu profundo cinturón lleno de rosas amarillas
riendo sobre las montañas y las nubes,
mientras un cielo marítimo
se destroza en interminables olas de estrellas a mis pies.

                                        (*West Indies, Ltd.*, 1934)

Balada de los dos abuelos

Sombras que sólo yo veo,
me escoltan mis dos abuelos.

Lanza con punta de hueso,
tambor de cuero y madera:
Mi abuelo negro.

Gorguera en el cuello ancho,
gris armadura guerrera:
Mi abuelo blanco.

Pie desnudo, torso pétreo
los de mi negro;
pupilas de vidrio antártico
las de mi blanco.
África de selvas húmedas
y de gordos gongos sordos...
—¡Me muero!
(Dice mi abuelo negro.)
Aguaprieta de caimanes,
verdes mañanas de cocos...
—¡Me canso!
(Dice mi abuelo blanco.)
Oh velas de amargo viento,
galeón ardiendo en oro...
—¡Me muero!
(Dice mi abuelo negro.)
¡Oh costas de cuello virgen
engañadas de abalorios...!
—¡Me canso!
(Dice mi abuelo blanco.)
¡Oh puro sol repujado,
preso en el aro del trópico;
oh luna redonda y limpia
sobre el sueño de los monos!

¡Qué de barcos, qué de barcos!
¡Qué de negros, qué de negros!
¡Qué largo fulgor de cañas!
¡Qué látigo el del negrero!
Piedra de llanto y de sangre,
venas y ojos entreabiertos,
y madrugadas vacías,
y atardeceres de ingenio,
y una gran voz, fuerte voz,
despedazando el silencio.
¡Qué de barcos, qué de barcos,
qué de negros!

Sombras que sólo yo veo,
me escoltan mis dos abuelos.

Don Federico me grita
y Taita Facundo calla;
los dos en la noche sueñan
y andan, andan.
Yo los junto.

              —¡Federico!
¡Facundo! Los dos se abrazan.
Los dos suspiran. Los dos
las fuertes cabezas alzan;
los dos del mismo tamaño,
bajo las estrellas altas;
los dos del mismo tamaño,
ansia negra y ansia blanca,
los dos del mismo tamaño,
gritan, sueñan, lloran, cantan.
Sueñan, lloran, cantan.
Lloran, cantan.
¡Cantan!

                              (*West Indies, Ltd.*, 1934)

Sabás

Yo vi a Sabás, el negro sin veneno,
pedir su pan de puerta en puerta.
¿Por qué, Sabás, la mano abierta?
(Este Sabás es un negro bueno.)

Aunque te den el pan, el pan es poco,
y menos ese pan de puerta en puerta.
¿Por qué, Sabás, la mano abierta?
(Este Sabás es un negro loco.)

Yo vi a Sabás, el negro hirsuto,
pedir por Dios para su muerta.
¿Por qué, Sabas, la mano abierta?
(Este Sabás es un negro bruto.)

Coge tu pan, pero no lo pidas;
coge tu luz, coge tu esperanza cierta
como a un caballo por las bridas.
Plántale en medio de la puerta,
pero no con la mano abierta,
ni con tu cordura de loco:
Aunque te den el pan, el pan es poco,
y menos ese pan de puerta en puerta.

¡Caramba, Sabás, que no se diga!
¡Sujétate los pantalones,
y mira a ver si te las compones
para educarte la barriga!
La muerte, a veces, es buena amiga,
y el no comer, cuando es preciso
para comer, el pan sumiso,
tiene belleza. El cielo abriga.
El sol calienta. Es blando el piso
del portal. Espera un poco,
afirma el paso irresoluto
y afloja más el freno...

¡Caramba, Sabás, no seas tan loco!
¡Sabás, no seas tan bruto,
ni tan bueno!

(*West Indies, Ltd.*, 1934)

Sensemayá

Canto para matar una culebra.

¡Mayombe—bombe—mayombé!
¡Mayombe—bombe—mayombé!
¡Mayombe—bombe—mayombé!

La culebra tiene los ojos de vidrio;
la culebra viene y se enreda en un palo;
con sus ojos de vidrio en un palo,
con sus ojos de vidrio.

La culebra camina sin patas;
la culebra se esconde en la yerba;
caminando se esconde en la yerba,
caminando sin patas.

¡Mayombe—bombe—mayombé!
¡Mayombe—bombe—mayombé!
¡Mayombe—bombe—mayombé!

Tú le das con el hacha y se muere:
¡Dale ya!
¡No le des con el pie, que te muerde,
no le des con el pie, que se va!

Sensemayá, la culebra,
sensemayá.
Sensemayá, con sus ojos,
sensemayá.

Sensemayá, con su lengua,
sensemayá.
Sensemayá, con su boca,
sensemayá.

La culebra muerta no puede comer,
la culebra muerta no puede silbar,
no puede caminar,
no puede correr.

La culebra muerta no puede mirar,
la culebra muerta no puede beber,
no puede respirar,
no puede morder.

¡Mayombe—bombe—mayombé!
Sensemayá, la culebra...
¡Mayombe—bombe—mayombé!
Sensemayá, no se mueve...

¡Mayombe—bombe—mayombé!
Sensemayá, la culebra...
¡Mayombe—bombe—mayombé!
Sensemayá, se murió.

(*West Indies, Ltd.*, 1934)

El abuelo

Esta mujer angélica de ojos septentrionales,
que vive atenta al ritmo de su sangre europea,
ignora que en lo hondo de ese ritmo golpea
un negro el parche duro de roncos atabales.

Bajo la línea escueta de su nariz aguda,
la boca, en fino trazo, traza una raya breve,
y no hay cuervo que manche la solitaria nieve
de su carne, que fulge temblorosa y desnuda.

¡Ah, mi señora! Mírate las venas misteriosas;
boga en el agua viva que allá dentro te fluye,
y ve pasando lirios, nelumbios, lotos, rosas;

que ya verás, inquieta, junto a la fresca orilla
la dulce sombra oscura del abuelo que huye,
el que rizó por siempre tu cabeza amarilla.

                                        (*West Indies, Ltd.,* 1934)

Guadalupe W. I.

POINTE-À-PITRE

Los negros, trabajando
junto al vapor. Los árabes, vendiendo,
los franceses, paseando y descansando,
y el sol, ardiendo.

En el puerto se acuesta
el mar. El aire tuesta
las palmeras... Yo grito: ¡Guadalupe!, pero nadie contesta.

Parte el vapor, arando
las aguas impasibles con espumoso estruendo.

Allá quedan los negros trabajando,
los árabes vendiendo,
los franceses paseando y descansando,
y el sol, ardiendo...

                                        (*West Indies, Ltd.,* 1934)

Sudor y látigo

Látigo,
sudor y látigo.

El sol despertó temprano
y encontró al negro descalzo,
desnudo el cuerpo llagado,
sobre el campo.

Látigo,
sudor y látigo.

El viento pasó gritando:
—¡Qué flor negra en cada mano!
La sangre le dijo: ¡Vamos!
Él dijo a la sangre: ¡Vamos!
Partió en su sangre, descalzo.
El cañaveral, temblando,
le abrió paso.

Después, el cielo callado,
y bajo el cielo, el esclavo
tinto en la sangre del amo.

Látigo,
sudor y látigo,
tinto en la sangre del amo;
látigo,
sudor y látigo,
tinto en la sangre del amo,
tinto en la sangre del amo.

                              (*El son entero*, 1947)

Son número 6

Yoruba soy, lloro en yoruba
lucumí.
Como soy un yoruba de Cuba,
quiero que hasta Cuba suba mi llanto yoruba,
que suba el alegre llanto yoruba
que sale de mí.

Yoruba soy,
cantando voy,
llorando estoy,
y cuando no soy yoruba,
soy congo, mandinga, carabalí.
Atiendan, amigos, mi son, que empieza así:

          Adivinanza
          de la esperanza:
          Lo mío es tuyo,
          lo tuyo es mío;
          toda la sangre
          formando un río.

La ceiba ceiba con su penacho;
el padre padre con su muchacho;
la jicotea en su carapacho.
¡Que rompa el son caliente,
y que lo baile la gente,
pecho con pecho,
vaso con vaso
y agua con agua con aguardiente!
Yoruba soy, soy lucumí,
mandinga, congo, carabalí.
Atiendan, amigos, mi son, que sigue así:
Estamos juntos desde muy lejos,
jóvenes, viejos,
negros y blancos, todo mezclado;
uno mandando y otro mandado,

todo mezclado;
San Berenito y otro mandado,
todo mezclado;
negros y blancos desde muy lejos,
todo mezclado;
Santa María y uno mandado,
todo mezclado;
todo mezclado, Santa María,
San Berenito, todo mezclado,
todo mezclado, San Berenito,
San Berenito, Santa María,
Santa María, San Berenito,
¡todo mezclado!

Yoruba soy, soy lucumí,
mandinga, congo, carabalí.
Atiendan, amigos, mi son, que acaba así:

      Salga el mulato,
      suelte el zapato,
      díganle al blanco que no se va...
      De aquí no hay nadie que se separe;
      mire y no pare,
      oiga y no pare,
      beba y no pare,
      coma y no pare,
      viva y no pare,
      ¡que el son de todos no va a parar!

                    (*El son entero*, 1947)

Elegía

Por el camino de la mar
vino el pirata,
mensajero del Espíritu Malo,
con su cara de un solo mirar

y con su monótona pata
de palo.
Por el camino de la mar.

Hay que aprender a recordar
lo que las nubes no pueden olvidar.

Por el camino de la mar,
con el jazmín y con el toro,
y con la harina y con el hierro,
el negro, para fabricar
el oro;
para llorar en su destierro
por el camino de la mar.

¿Cómo vais a olvidar
lo que las nubes aún pueden recordar?

Por el camino de la mar,
el pergamino de la ley,
la vara para malmedir,
y el látigo de castigar,
y la sífilis del virrey,
y la muerte, para dormir
sin despertar,
por el camino de la mar.

¡Duro recuerdo recordar
lo que las nubes no pueden olvidar
por el camino de la mar!

(*El son entero*, 1947)

Little Rock

Un blues llora con lágrimas de música
en la mañana fina.
El Sur blanco sacude
su látigo y golpea. Van los niños
negros entre fusiles pedagógicos
a su escuela de miedo.
Cuando a sus aulas lleguen,
Jim Crow será el maestro,
hijos de Lynch serán sus condiscípulos
y habrá en cada pupitre
de cada niño negro,
tinta de sangre, lápices de fuego.

Así es el Sur. Su látigo no cesa.

En aquel mundo faubus,
bajo aquel duro cielo faubus de gangrena,
los niños negros pueden
no ir junto a los blancos a la escuela.
O bien quedarse suavemente en casa.
O bien (nunca se sabe)
dejarse golpear hasta el martirio.
O bien no aventurarse por las calles.
O bien morir a bala y a saliva.
O no silbar al paso de una muchacha blanca.
O en fin, bajar los ojos yes,
doblar el cuerpo yes,
arrodillarse yes,
en aquel mundo libre yes
de que habla Foster Tonto en aeropuerto
    y aeropuerto,
mientras la pelotilla blanca,
una graciosa pelotilla blanca,
presidencial, de golf, como un planeta mínimo,
rueda en el césped puro, terso, fino,
verde, casto, tierno, suave, yes.

Y bien, ahora,
señoras y señores, señoritas,
ahora niños,
ahora viejos peludos y pelados,
ahora indios, mulatos, negros, zambos,
ahora pensad lo que sería
el mundo todo Sur,
el mundo todo sangre y todo látigo,
el mundo todo escuela de blancos para blancos,
el mundo todo Rock y todo Little,
el mundo todo yanqui, todo faubus...
              Pensad por un momento,
imaginadlo un solo instante.

                        (*La paloma de vuelo popular*, 1958)

Vine en un barco negrero...

Vine en un barco negrero.
Me trajeron.
Caña y látigo el ingenio.
Sol de hierro.
Sudor como caramelo.
Pie en el cepo.

Aponte me habló sonriendo.
Dije: —Quiero.
¡Oh muerte! Después silencio.
Sombra luego.
¡Qué largo sueño violento!
Duro sueño.

        La Yagruma
        de nieve y esmeralda
        bajo la luna.

O'Donnell. Su puño seco.
Cuero y cuero.

Los alguaciles y el miedo.
Cuero y cuero.
De sangre y tinta mi cuerpo.
Cuero y cuero.

Pasó a caballo Maceo.
Yo en su séquito.
Largo el aullido del viento.
Alto el trueno.
Un fulgor de macheteros.
Yo con ellos.

> *La Yagruma*
> *de nieve y esmeralda*
> *bajo la luna.*

Tendido a Menéndez veo.
Fijo, tenso.
Borbota el pulmón abierto.
Quema el pecho.
Sus ojos ven, están viendo.
Vive el muerto.

¡Oh Cuba! Mi voz entrego.
En ti creo.
Mía la tierra que beso.
Mío el cielo.

Libre estoy, vine de lejos.
Soy un negro.

> *La Yagruma*
> *de nieve y esmeralda*
> *bajo la luna.*

                                        (*Tengo*, 1964)

Está bien

Está muy bien que cantes cuando lloras, negro hermano,
negro del Sur crucificado;
bien tus spirituals,
tus estandartes,
tus marchas y los alegatos
de tus abogados.
Está muy bien.

Bien que patínes en pos de la justicia
—¡oh aquel ingenuo patinador
tragando aire hasta Washington desde Chicago!—;
bien tus protestas en los diarios,
bien tus puños cerrados
y Lincoln en su retrato.
Está muy bien.

Bien tus sermones en los templos dinamitados,
bien tu insistencia heroica
en estar junto a los blancos,
porque la ley —¿la ley?— proclama
la igualdad de todos los americanos.
        Bien.
        Está muy bien.
        Requetebién,
hermano negro del Sur crucificado.
Pero acuérdate de John Brown,
que no era negro y te defendió con un fusil en las manos.

Fusil: Arma de fuego portátil
(es lo que dice el diccionario)
con que disparan los soldados.
Hay que agregar: *Fusil* (en inglés *gun*):
Arma también con que responden
los esclavos.

Pero si ocurre (eso acontece),
pero si ocurre, hermano,

que no tienes fusil, pues entonces,
en ese caso,
digo, no sé,
búscate algo
—una mandarria, un palo,
una piedra—, algo
que duela,
algo duro que hiera,
que golpee,
que saque sangre,
algo.

(*Tengo*, 1964)

Gobernador

Cuando hayas enseñado tu perro
a abalanzarse sobre un negro
y arrancarle el hígado de un bocado,
cuando también tú sepas
por lo menos ladrar y menear el rabo,
alégrate, ya puedes
¡oh blanco!
ser gobernador de tu Estado.

(*Tengo*, 1964)

Escolares

Cumplieron sus tares (prácticas) los escolarizados
muchachos blancos de Alabama:
Cada uno presentó una rama
de flamboyán, con cinco negros ahorcados.

(*Tengo*, 1964)

Un negro canta en Nueva York

Una paloma me dijo
que anduvo por Nueva York:
Volando anduvo,
pero no vio
ni una estrella ni una flor.

Piedra y humo
y humo y plomo
y plomo y llama
y llama y piedra y plomo y humo
siempre halló.

—Paloma ¿y usted no vio
a un negro llorando?
—No.
—¿El negro cantaba?
—Sí.

Cuando lo vi,
me saludó.
Cantó,
siguió cantando así:
—Tengo un pedazo de sueño,
paloma,
que un un soñador me dejó;
con ese sueño, paloma,
voy hacer yo
una estrella y una flor.
(La estrella y su resplandor.
El resplandor en la flor.)

—Tengo un pedazo de canto,
paloma,
que un cantador me dejó;
con ese canto, paloma,
voy a hacer yo
un himno y una canción.

(El himno contra Jim Crow.
De paz y paz la canción.)

—Tengo un pedazo de hierro,
paloma,
que un herrero me dejó;
con ese hierro, paloma,
voy hacer yo
un martillo y una hoz.
(¡Doy con el martillo, doy!
¡Corto y corto con la hoz!)

(Tengo, 1964)

El Caribe

En el acuario del Gran Zoo,
nada el Caribe.
            Este animal
marítimo y enigmático
tiene una blanca cresta de cristal,
el lomo azul, la cola verde,
vientre de compacto coral,
grises aletas de ciclón.
En el acuario, esta inscripción:

«Cuidado: muerde.»

(El gran zoo, 1967)

Guitarra

Fueron a cazar guitarras
bajo la luna llena.
Y trajeron ésta,
pálida, fina, esbelta,
ojos de inagotable mulata,
cintura de abierta madera.

Es joven, apenas vuela.
Pero ya canta
cuando oye en otras jaulas
aletear sones y coplas.
Los sonesombres y las coplasolas.
Hay en su jaula esta inscripción:

«Cuidado: sueña.»

(*El gran zoo,* 1967)

Ciclón

Ciclón de raza,
recién llegado a Cuba de las islas Bahamas.
Se crió en Bermudas,
pero tiene parientes en Barbados.
Estuvo en Puerto Rico.
Arrancó de raíz el palo mayor de Jamaica.
Iba a violar a Guadalupe.
Logró violar a Martinica.
Edad: Dos días.

(*El gran zoo,* 1967)

Lynch

Lynch de Alabama.
Rabo en forma de látigo
y pezuñas terciarias.
Suele manifestarse
con una gran cruz en llamas.
Se alimenta de negros, sogas,
fuego, sangre, esclavos,
alquitrán.

Capturado.
junto a una horca. Macho.
Castrado.

(*El gran zoo,* 1967)

K K K

Este cuadrúpedo procede
de Joplin, Misurí.
Carnicero.
Aúlla largamente en la noche
sin su dieta habitual de negro asado.

Acabará por sucumbir.
Un problema (*insoluble*) alimentarlo.

(*El gran zoo*, 1967)

¿Qué color?

> Su piel era negra, pero con el alma purí-
> sima como la nieve blanca...
>
> EVTUCHENKO (según el cable), ante el
> asesinato de Lutero King.

Qué alma tan blanca, dicen,
la de aquel noble pastor.
Su piel tan negra, dicen,
su piel tan negra de color,
era por dentro nieve,
azucena,
leche fresca,
algodón.
Qué candor.
No había ni una mancha
en su blanquísimo interior.

(En fin, valiente hallazgo:
El negro que tenía el alma blanca,
aquel novelón.)

Pero podría decirse de otro modo:
Qué alma tan poderosa negra

la del dulcísimo pastor.
Qué alta pasión negra
ardía en su ancho corazón.
Qué pensamientos puros negros
su grávido cerebro alimentó.
Qué negro amor,
tan repartido
sin color.

¿Por qué no,
por qué no iba a tener el alma negra
aquel heroico pastor?

Negra como el carbón.

(*La rueda dentada*, 1972)

Ancestros

Por lo que dices, Fabio,
un arcángel tu abuelo fue con sus esclavos.
Mi abuelo, en cambio,
fue un diablo con sus amos.
El tuyo murió de un garrotazo.
Al mío, lo colgaron.

(*La rueda dentada*, 1972)

Noche de negros junto a la Catedral

La Habana, año de gracia de 1966.

Tambor.
Resuena la noche ancestral.
Vestidos de limpio, la risa desnuda,
cien negros (o más, ¿cuántos son?)
bailan a la luz de la Luna
en la vieja plaza de la Catedral.
Siglo XVIII, tal vez. Pero,
                    ¿y el cañaveral?

Pasa el calesero negro.
Va con su calesa.
Como el rostro sudado
le brillan, le sudan las botas.
La erecta marquesa (de trapo)
quiere ser una fresca gran flor tropical.
Siglo XIX, quizá. Pero,
                    ¿dónde está el mayoral?

No ha venido Aponte.
(Ya es hueso pelado.)

No ha venido O'Donnell.
(Quedóse en palacio.)

No ha venido Plácido.
(Ayer lo mataron.)

Y nada se sabe del negro Santiago,
con la llaga viva, tremenda,
que en nalgas y espaldas le abrió el bocabajo.
(La cura fue orine con sal.)

                              (*La rueda dentada*, 1972)

Ángela Davis

Yo no he venido aquí a decirte que eres bella.
Creo que sí, que eres bella,
mas no se trata de eso.
Se trata de que quieren que estés muerta.
Necesitan tu cráneo
para adornar la tienda del Gran Jefe,
junto a las calaveras de Jackson y Lumumba.
Ángela, y nosotros
necesitamos tu sonrisa.

Vamos a cambiarte los muros que alzó el odio,
por claros muros de aire,
y el techo de tu angustia,
por un techo de nubes y de pájaros,
y el guardián que te oculta,
por un arcángel con su espalda.
¡Cómo se engañan tus verdugos! Estás hecha
de un material ardiente y áspero,
ímpetu inoxidable,
apto para permanecer por soles y por lluvias,
por vientos y por lunas
a la intemperie.
                    Perteneces
a esa clase de sueños en que el tiempo
siempre ha fundido sus estatuas
y escrito sus canciones.

Ángela, no estoy frente a tu nombre
para hablarte de amor como un adolescente,
ni para desearte como un sátiro.
Ah, no se trata de eso.
Lo que yo digo es que eres fuerte y plástica
para saltar al cuello (fracturándolo)
de quienes han querido y quieren todavía, querrán siempre
verte arder viva atada al sur de tu país,
atada a un poste calcinado,
atada a un roble sin follaje,
atada en cruz ardiendo viva atada al Sur.

El enemigo es torpe.
Quiere callar tu voz con la voz suya,
pero todos sabemos
que es tu voz la única que resuena,
la única que se enciende
alta en la noche como una columna fulminante,
un detenido rayo,
un vertical incendio abrasador,
repetido relámpago a cuya luz resaltan
negros de ardientes uñas,
pueblos desvencijados y coléricos.

Bajo el logrado sueño donde habito
junto a los milicianos decisivos,
al agrio borde de este mar terrible pero amigo,
viendo furiosas olas romperse en la rompiente,
grito, y hago viajar mi voz sobre los hombros
del gran viento que pasa
viento mío padre nuestro Caribe.

Digo tu nombre, Ángela, vocifero. Junto mis manos
no en ruegos, preces, súplicas, plegarias
para que tus carceleros te perdonen,
sino en acción de aplauso mano y mano
duro y fuerte bien fuerte
mano y mano para que sepan que eres nuestra.

                                   (*La rueda dentada,* 1972)

Epístola

                              Al poeta Eliseo Diegó.

Estos viejos papeles que te envío,
esta tinta pretérita, Eliseo,
¿no moverán tu cólera o tu hastío?

Como un arroyo fácil, mi deseo
fue que tan simple historia discurriera
a tu lado fugaz. Pero ahora veo

que el arroyo ha inundado la pradera
y que tapando sendas y breñales
al Tínima recuerda en primavera [1].

Con chicotes tremendos, con puñales
exigen voceando mis lectores
que me vaya a otro sitio a mear pañales.

Juro por los sinsontes y las flores
que en aquesta ocasión no he pretendido
provocar con mi verso tus furores.

Torpeza y no maldad mas bien ha sido.
Mira tú cómo a veces un disparo
medido, bien medido, ultramedido,

al no dar en el blanco da en el claro,
lo que quiere decir que se va al viento,
hecho por lo demás que en mí no es raro.

Al trote femoral de mi jumento
regreso pues sobre mis propias huellas
hasta dejarlo al fin libre y contento

en campos de zafir paciendo estrellas,
(como Luis el de Góngora decía)
para eructar (me digo yo) centellas.

Te entrego mi poema. Algarabía
en lengua de piratas y bozales
donde de todo material había:

No sólo los Urrutias y González,
los ya Rojas y Alonsos, los Angulos,
y en fin otros diversos animales,

---

[1] El Tínima no llega a un mal riacho,
   mas si le llueve, es un riacho macho.

sino los tristes que ponían sus culos
a que aquellos señores los patearan
con patas no de gentes, mas de mulos.

¡Con qué lágrimas duras no lloraran!
¡Con qué voz tan sangrienta no pidieran!
¡Con qué puños tan altos no se alzarán!

¡Cuántos miles y miles no cayeran!
¡Oh Reino de la Muerte, tiempo'España,
charcos de sangre tus provincias eran!

Luego el castrón del Tío, cuya maña
usual en sus atracos de usurero
ni al sobrino más fiel turba o engaña,

salvo si el tal sobrino es un madero.
Y maderos tuvimos, es el caso,
a cual más intrigante y bandolero,

y a quienes hubo que cortar el paso
para abrirnos el nuestro hacia delante
como el pueblo acostumbra: De un trancazo.

Dixi, buen Eliseo, ya es bastante.
Perdona alguna rima mal situada
y tenme por tu amigo el más constante.
(Tú dirás: —*Gracias, viejo*. Yo: —*De nada*.)

(*El diario que a diario*, 1972)

Poemas sociales y políticos

Futuro

Acaso vengan otros hombres
(blancos o negros, para el caso es igual),
más poderosos, más resueltos,
que por el aire o sobre el mar
nos desbaraten nuestros aeroplanos
y nos impongan su verdad.

¡Quisiera ver a los americanos!
Ellos, que nos humillan con su fuerza,
modernos incas, nuevos aztecas, ¿qué harán?
Como los viejos indios trabajarían
en las minas para el nuevo español,
sin pershing y sin lindbergh
y hasta sin nueva york,
comiendo sánduiches con los conquistadores
y empujándolos en sus rolls-royces.

(*Poemas de transición*, 1927-1931)

Caña

El negro
junto al cañaveral.

El yanqui
sobre el cañaveral.

La tierra
bajo el cañaveral.

¡Sangre
que se nos va!

(Sóngoro cosongo, 1931)

Adivinanzas

En los dientes, la mañana,
y la noche en el pellejo.
¿Quién será, quién no será?
                    —El negro.

Con ser hembra y no ser bella,
harás lo que ella te mande.
¿Quién será, quién no será?
                    —El hambre.

Esclava de los esclavos,
y con los dueños tirana.
¿Quién será, quién no será?
                    —La caña.

Escándalo de una mano
que nunca ignora la otra.
¿Quién será, quién no será?
                    —La limosna.

Un hombre que está llorando
con la risa que aprendió.
¿Quién será, quién no será?
                    —Yo.

                              (*West Indies, Ltd.*, 1934)

Maracas

De dos en dos,
las maracas se adelantan al yanqui
para decirle:
                    —¿Cómo está usted, señor?

Cuando hay barco a la vista,
están ya las maracas en el puerto,
vigilando la presa excursionista
con ojo vivo y ademán despierto.
¡Maraca equilibrista,
güiro adulón del dólar del turista!

Pero hay otra maraca con un cierto
pudor que casi es antiimperialista:
Es la maraca artista
que no tiene que hacer nada en el puerto.

A ésa le basta con que un negro pobre
la sacuda en el fondo del sexteto;
riñe con el bongó, que es indiscreto,
y el ron que beba es del que al negro sobre.

Ésa ignora que hay yanquis en el mapa;
vive feliz, ralla su pan sonoro,
y el duro muslo a Mamá Inés destapa
y pule y bruñe más la Rumba de oro.

                              (*West Indies, Ltd.*, 1934)

Caminando

Caminando, caminando
¡caminando!
Voy sin rumbo caminando,
caminando;
voy sin plata caminando,
caminando;
voy muy triste caminando,
caminando.

Está lejos quien me busca,
caminando;
quien me espera está más lejos,
caminando;
y ya empeñé mi guitarra,
caminando.

Ay,
las piernas se ponen duras,
caminando;
los ojos ven desde lejos,
caminando;
la mano agarra y no suelta,
caminando.

Al que yo coja y lo apriete,
caminando,
ése la paga por todos,
caminando;
a ése le parto el pescuezo,
caminando,
y aunque me pida perdón,
me lo como y me lo bebo,
me lo bebo y me lo como,
caminando,
caminando,
caminando...

(*West Indies, Ltd.*, 1934)

Dos niños

Dos niños, ramas de un mismo árbol de miseria,
juntos en un portal bajo la noche calurosa,
dos niños pordioseros llenos de pústulas,
comen de un mismo plato como perros hambrientos
la comida lanzada por la pleamar de los manteles.
Dos niños: Uno negro, otro blanco.

Sus cabezas unidas están sembradas de piojos;
sus pies muy juntos y descalzos;
las bocas incansables en un mismo frenesí de mandíbulas,
y sobre la comida grasienta y agria,
dos manos: Una negra, otra blanca.

¡Qué unión sincera y fuerte!
Están sujetos por los estómagos y por las noches foscas,
y por las tardes melancólicas en los paseos brillantes,
y por las mañanas explosivas,
cuando despierta el día con sus ojos alcólicos.

Están unidos como dos buenos perros...
Juntos así como dos buenos perros,
uno negro, otro blanco,
cuando llegue la hora de la marcha
¿querrán marchar como dos buenos hombres,
uno negro, otro blanco?

Dos niños, ramas de un mismo árbol de miseria,
comen en un portal, bajo la noche calurosa.

                                    (*West Indies, Ltd.*, 1934)

Canción de los hombres perdidos

Con las ojeras excavadas,
rojos los ojos como rábanos,
vamos por las calles calladas.

La tripa impertinente hipa,
puntual lo mismo que un casero,
pero nada hay para la tripa.

No hay aguardiente ni tabaco,
ni un mal trozo de carne dura:
Sólo las pulgas bajo el saco.

Así andamos por la ciudad,
como perros abandonados
en medio de una tempestad.

El sol nos tuesta en su candela,
pero por la noche la Luna
de un escupitajo nos hiela.

Somos asmáticos, diabéticos,
herpéticos y paralíticos,
mas sin regímenes dietéticos.

Nos come el hambre día a día,
y van cavándonos los dientes
charcos bermejos en la encía.

Así andamos por la ciudad,
como perros abandonados
en medio de una tempestad.

¿Quién es quien sabe nuestros nombres?
Nadie los sabe ni los mienta.
Somos las sombras de otros hombres.

Y si es que hablar necesitamos
unos con otros, ya sabemos
de qué manera nos llamamos.

«Caimán», «El Macho», «Perro Viudo»,
son nuestros nombres en la vida,
y cada nombre es un escudo.

Así andamos por la ciudad,
como perros abandonados
en medio de una tempestad.

¿Qué más da ser ladrón o papa?
El caldero siempre es el mismo
lo que le cambian es la tapa.

Y hay quien podrido está en lo hondo;
cuando el pellejo más perfuma
más el espíritu es hediondo.

Nosotros vamos descubiertos;
el pus al sol, la sangre al aire,
y con los ojos bien despiertos.

Así andamos por la ciudad,
como perros abandonados
en medio de una tempestad.

Secos estamos como piedra.
Largos y flacos como cañas.
Mano-pezuña, barba-hiedra.

Mas no tembléis si crece el hambre:
Presto el gorila maromero
se estrellará desde su alambre.

¡Ánimo, amigos! ¡Piernas sueltas,
diente afilado, hocico duro,
y no marearse con dar vueltas!

¡Saltemos sobre la ciudad,
como perros abandonados
en medio de una tempestad!

(West Indies, Ltd., 1934)

West Indies, Ltd.

1

¡West Indies! Nueces de coco, tabaco y aguardiente...
Éste es un oscuro pueblo sonriente,
conservador y liberal,
ganadero y azucarero,
donde a veces corre mucho dinero,
pero donde siempre se vive muy mal. [1]
El sol achicharra aquí todas las cosas,
desde el cerebro hasta las rosas.
Bajo el relampagueante traje de dril
andamos todavía con taparrabos;
gente sencilla y tierna, descendiente de esclavos
y de aquella chusma incivil
de variadísima calaña,
que en el nombre de España
cedió Colón a Indias con ademán gentil.

Aquí hay blancos y negros y chinos y mulatos.
Desde luego, se trata de colores baratos,
pues a través de tratos y contratos
se han corrido los tintes y no hay un tono estable.
(El que piense otra cosa que avance un paso y hable.)
Hay aquí todo eso, y hay partidos políticos,
y oradores que dicen: «En estos momentos críticos...»

---

[1] Cierto que éste es un pueblo manso todavía... / No obstante, cualquier día / alza de un golpe la cerviz; / rompe por dondequiera con sus calludas manos / y hace como esos árboles urbanos / que arrancan toda una acera con una sola raíz.

Hay bancos y banqueros,
legisladores y bolsistas,
abogados y periodistas,
médicos y porteros.
¿Qué nos puede faltar?
Y aun lo que nos faltare lo mandaríamos buscar.
¡West Indies! Nueces de coco, tabaco y aguardiente.
Éste es un oscuro pueblo sonriente.

¡Ah, tierra insular!
¡Ah, tierra estrecha!
¿No es cierto que parece hecha
sólo para poner un palmar?
Tierra en la ruta del «Orinoco»,
o de otro barco excursionista,
repleto de gente sin un artista
y sin un loco;
puertos donde el que regresa de Tahití,
de Afganistán o de Seúl,
viene a comerse el cielo azul,
regándolo con Bacardí;
puertos que hablan un inglés
que empieza en yes y acaba en yes.
(Inglés de cicerones en cuatro pies.)
¡West Indies! Nueces de coco, tabaco y aguardiente.
Éste es un oscuro pueblo sonriente.

Me río de ti, noble de las Antillas,
mono que andas saltando de mata en mata,
payaso que sudas por no meter la pata,
y siempre la metes hasta las rodillas.
Me río de ti, blanco de verdes venas
—¡bien se te ven aunque ocultarlas procuras!—,
me río de ti porque hablas de aristocracias puras,
de ingenios florecientes y arcas llenas.
¡Me río de ti, negro imitamicos
que abres los ojos ante el auto de los ricos,
y que te avergüenzas de mirarte el pellejo oscuro,
cuando tienes el puño tan duro!

Me río de todos: Del policía y del borracho,
del padre y de su muchacho,
del presidente y del bombero.
Me río de todos; me río del mundo entero.
Del mundo entero, que se emociona frente a cuatro pelud
erguidos muy orondos detrás de sus chillones escudos,
como cuatro salvajes al pie de un cocotero.

2

> *Cinco minutos de interrupción.*
> *La charanga de Juan el Barbero*
> *toca un son.*

—Coroneles de terracota,
políticos de quita y pon;
café con pan y mantequilla...
¡Que siga el son!

La burocracia está de acuerdo
en ofrendarse a la Nación;
doscientos dólares mensuales...
¡Que siga el son!

El yanqui nos dará dinero
para arreglar la situación;
la Patria está por sobre todo...
¡Que siga el son!

Los viejos líderes sonríen
y hablan después desde un balcón.
¡La zafra! ¡La zafra! ¡La zafra!
¡Que siga el son!

3

Las cañas —largas— tiemblan
de miedo ante la mocha.
Quema el sol y el aire pesa.
Gritos de mayorales
restallan secos y duros como foetes.
De entre la oscura
masa de pordioseros que trabajan,
surge una voz que canta,
brota una voz que canta,
sale una voz llena de rabia,
se alza una voz antigua y de hoy,
moderna y bárbara:

—*Cortar cabezas como cañas,*
¡chas, chas, chas!
Arder las cañas y cabezas,
subir el humo hasta las nubes,
¡cuándo será, cuándo será!
Está mi mocha con su filo,
¡chas, chas, chas!
Está mi mano con su mocha,
¡chas, chas, chas!
Y el mayoral está conmigo,
¡chas, chas, chas!
Cortar cabezas como cañas,
arder las cañas y cabezas,
subir el humo hasta las nubes...
¡Cuándo será!

Y la canción elástica, en la tarde
de zafra y agonía,
tiembla, fulgura y arde,
pegada al techo cóncavo del día.

4

El hambre va por los portales
llenos de caras amarillas
y de cuerpos fantasmales;
y estacionándose en las sillas
de los parques municipales,
o pululando a pleno sol
y a plena luna,
busca el problemático alcol
que borra y ciega,
pero que no venden en ninguna
bodega.
¡Hambre de las Antillas,
dolor de las ingenuas Indias Occidentales!

Noches pobladas de prostitutas,
bares poblados de marineros;
encrucijada de cien rutas
para bandidos y bucaneros.
Cuevas de vendedores de morfina,
de cocaína y de heroína.
Cabarets donde el tedio se engaña
con ilusorio cordial
de una botella de champaña,
en cuya eficacia la gente confía
como en un neosalvarsán de alegría
para la «sífilis sentimental».
Ansia de penetrar el porvenir
y sacar de su entraña secreta
una fórmula concreta
para vivir.

Furor de los piratas de levita
que como en Sores y «El Olonés»,
frente a la miseria se irrita
y se resuelve en puntapiés.
¡Dramática ceguedad de la tropa,
que siempre tiene presto el rifle
para disparar contra el que proteste o chifle,
porque el pan está duro o está clara la sopa!

5

Cinco minutos de interrupción.
La charanga de Juan el Barbero
toca un son.

—Para encontrar la butuba
hay que trabajar caliente;
para encontrar la butuba
hay que trabajar caliente:
Mejor que doblar el lomo,
tienes que doblar la frente.

De la caña sale azúcar,
azúcar para el café;
de la caña sale azúcar,
azúcar para el café:
Lo que ella endulza, me sabe
como si le echara hiel.

No tego donde vivir,
ni mujer a quien querer;
no tengo donde vivir,
ni mujer a quien querer:
Todos los perros me ladran,
y nadie me dice usted.

Los hombres, cuando son hombres,
tienen que llevar cuchillo;
los hombres, cuando son hombres,
tienen que llevar cuchillo:
¡Yo fui hombre, lo llevé,
y se me quedó en presidio!

Si me muriera ahora mismo,
si me muriera ahora mismo,
si me muriera ahora mismo, mi madre,
¡qué alegre me iba a poner!

¡Ay, yo te daré, te daré,
te daré, te daré,
ay, yo te daré
la libertad!

6

¡West Indies! ¡West Indies! ¡West Indies!
Éste es el pueblo hirsuto,
de cobre, multicéfalo, donde la vida repta
con el lodo seco cuarteado en la piel.
Éste es el presidio
donde cada hombre tiene atados los pies.
Ésta es la grotesca sede de companies y truts.
Aquí están el lago de asfalto, las minas de hierro,
las plantaciones de café,
los ports docks, los ferry boats, los ten cents...
Éste es el pueblo del all right
donde todo se encuentra muy mal;
éste es el pueblo del very well,
donde nadie está bien.

Aquí están los servidores de Mr. Babbit.
Los que educan sus hijos en West Point.
Aquí están los que chillan: hello baby,
y fuman «Chesterfield» y «Lucky Strike».
Aquí están los bailadores de fox trots,
los boys del jazz band
y los veraneantes de Miami y de Palm Beach.
Aquí están los que piden bread and butter
y coffee and milk.
Aquí están los absurdos jóvenes sifilíticos,
fumadores de opio y de mariguana,
exhibiendo en vitrinas sus espiroquetas
y cortándose un traje cada semana.
Aquí está lo mejor de Port-au-Prince,
lo más puro de Kingston, la high life de La Habana...
Pero aquí están también los que reman en lágrimas,
galeotes dramáticos, galeotes dramáticos.

Aquí están ellos,
los que trabajan con un haz de destellos
la piedra dura donde poco a poco se crispa
el puño de un titán. Los que encienden la chispa
roja, sobre el campo reseco.
Los que gritan: «¡Ya vamos!», y les responde el eco
de otras voces: «¡Ya vamos!» Los que en fiero tumulto
sienten latir la sangre con sílabas de insulto.
¿Qué hacer con ellos,
si trabajan con un haz de destellos?

Aquí están los que codo con codo
todo lo arriesgan; todo
lo dan con generosas manos;
aquí están los que se sienten hermanos
del negro, que doblando sobre el zanjón oscuro
la frente, se disuelve en sudor puro,
y del blanco, que sabe que la carne es arcilla
mala cuando la hiere el látigo, y peor si se la humilla
bajo la bota, porque entonces levanta
la voz, que es como un trueno brutal en la garganta.
Ésos son los que sueñan despiertos,
los que en el fondo de la mina luchan,
y allí la voz escuchan
con que gritan los vivos y los muertos.
Ésos, los iluminados,
los parias desconocidos
los humillados,
los preteridos,
los olvidados,
los descosidos,
los amarrados,
los ateridos,
los que ante el máuser exclaman: «¡Hermanos soldados!»,
y ruedan heridos
con un hilo rojo en los labios morados.
(¡Que siga su marcha el tumulto!
¡Que floten las bárbaras banderas,
y que se enciendan las banderas
sobre el tumulto!)

7

Cinco minutos de interrupción.
La charanga de Juan el Barbero
toca un son.

—Me matan, si no trabajo,
y si trabajo, me matan;
siempre me matan, me matan,
siempre me matan.

Ayer vi a un hombre mirando,
mirando el sol que salía;
ayer vi a un hombre mirando,
mirando el sol que salía:
El hombre estaba muy serio,
porque el hombre no veía.
Ay,
los ciegos viven sin ver
cuando sale el sol,
cuando sale el sol,
¡cuando sale el sol!

Ayer vi a un niño jugando
a que mataba a otro niño;
ayer vi a un niño jugando
a que mataba a otro niño:
Hay niños que se parecen
a los hombres trabajando.
¡Quién les dirá cuando crezcan
que los hombres no son niños,
que no lo son,
que no lo son,
que no lo son!

Me matan, si no trabajo,
y si trabajo, me matan:
Siempre me matan, me matan,
¡siempre me matan!

8

Un altísimo fuego raja con sus cuchillas
la noche. Las palmas, inocentes
de todo, charlan con voces amarillas
de collares, de sedas, de pendientes.
Un negro tuesta su café en cuclillas.
Se incendia un barracón.
Resoplan vientos independientes.
Pasa un crucero de la Unión
Americana. Después, otro crucero,
y el agua ingenua ensucian con ambiciosas quillas,
nietas de las del viejo Drake, el filibustero.

Lentamente, de piedra, va una mano
cerrándose en un puño vengativo.
Un claro, un claro y vivo
son de esperanza estalla en tierra y océano.
El sol habla de bosques con las verdes semillas...
West Indies, en inglés. En castellano,
las Antillas.

LÁPIDA

*Esto fue escrito por Nicolás Guillén, antillano,
en el año de mil novecientos treinta y cuatro.*

(*West Indies, Ltd.*, 1934)

Soldado, aprende a tirar

Soldado, aprende a tirar:
Tú no me vayas a herir,
que hay mucho que caminar.
¡Desde abajo has de tirar,
si no me quieres herir!

Abajo estoy yo contigo,
soldado amigo.
Abajo, codo con codo,
sobre el lodo.

Para abajo, no,
que allí estoy yo.
Soldado, aprende a tirar:
Tú no me vayas a herir,
que hay mucho que caminar.

(*Cantos para soldados y sones para turistas,* 1937)

No sé por qué piensas tú

No sé por qué piensas tú,
soldado, que te odio yo,
si somos la misma cosa
yo,
tú.

Tú eres pobre, lo soy yo;
soy de abajo, lo eres tú;
¿de dónde has sacado tú,
soldado, que te odio yo?

Me duele que a veces tú
te olvides de quién soy yo;
caramba, si yo soy tú,
lo mismo que tú eres yo.

Pero no por eso yo
he de malquererte, tú;
si somos la misma cosa,
yo,
tú,
no sé por qué piensas tú,
soldado, que te odio yo.

Ya nos veremos yo y tú,
juntos en la misma calle,
hombro con hombro, tú y yo,
sin odios ni yo ni tú,
pero sabiendo tú y yo,
a dónde vamos yo y tú...
¡No sé por qué piensas tú,
soldado, que te odio yo!

(*Cantos para soldados y sones para turistas*, 1937)

Fusilamiento

Van a fusilar
a un hombre que tiene los brazos atados.
Hay cuatro soldados
para disparar.
Son cuatro soldados
callados,
que están amarrados,
lo mismo que el hombre amarrado que van
    a matar.

—¿Puedes escapar?
—¡No puedo correr!
—¡Ya van a tirar!
—¡Qué vamos a hacer!
—Quizá los rifles no estén cargados...
—¡Seis balas tienen de fiero plomo!
—¡Quizá no tiren esos soldados!
—¡Eres un tonto de tomo y lomo!

Tiraron.
(¿Cómo fue que pudieron tirar?)
Mataron.
(¿Cómo fue que pudieron matar?)
Eran cuatro soldados
callados,

y les hizo una seña, bajando su sable,
un señor oficial;
eran cuatro soldados
atados,
lo mismo que el hombre que fueron
    los cuatro a matar.

(*Cantos para soldados y sones para turistas*, 1937)

Diana

La diana, de madrugada,
va con alfileres rojos
hincando todos los ojos.
La diana, de madrugada.

Levantaba en peso el cuartel
con los soldados cansados.
Van saliendo los soldados.
Levanta en peso el cuartel.

Ay, diana, ya tocarás
de madrugada, algún día,
tu toque de rebeldía.
Ay, diana, ya tocarás.

Vendrás a la cama dura
donde se pudre el mendigo.
—¡Amigo! —dirás—. ¡Amigo!
Vendrás a la cama dura.

Rugirás con voz ya libre
sobre la cama de seda:
—¡En pie, porque nada os queda!
Rugirás con voz ya libre.

¡Fiera, fuerte, desatada,
diana en corneta de fuego,

diana del pobre y del ciego,
diana de la madrugada!

(*Cantos para soldados y sones para turistas*, 1937)

Soldado así no he de ser

Soldado no quiero ser,
que así no habrán de mandarme
a herir al niño y al negro,
y al infeliz que no tiene
qué comer.
Soldado así no he de ser.

¡Mira al caballo en dos patas,
y al soldado encima dél,
con ojos llenos de furia,
con boca llena de hiel,
y el machetón, que lo mismo
mata viejo que mujer!
Soldado así no he de ser.

¡Ah de los trenes de tropas,
fríos al amanecer,
en duros rieles de sangre
corriendo a todo correr,
para aplastar una huelga
o estrangular un batey!
Soldado así no he de ser.

¡Ah de los ojos con vendas,
porque vendados no ven!
¡Ah de las manos atadas
y la cadena en los pies!
¡Ah de los tristes soldados
esclavos del coronel!
Soldado así no he de ser.

Si a mí me dieran un rifle
les diría a mis hermanos
para qué sirve.
A mis hermanos soldados
para qué sirve.
Pero a mí no me lo dan,
porque sé para qué sirve,
por eso no me lo dan.
Ni a ti te lo dan, ni a ti,
ni a ti, ni a ti... ¡Qué soldados
íbamos a ser nosotros
en caballos desbocados!

Soldado así quiero ser.
El que no cuida el central,
que no es dél,
ni reina, como un rey tosco
de cuartel,
ni sobre el campo de caña
tiras arranca de piel,
feroz igual que un negrero,
y aún más cruel.

Soldado libre, soldado
no más que el esclavo fiel:
Soldado así quiero ser.

(*Cantos para soldados y sones para turistas*, 1937)

Soldados en Abisinia

Mussolini.
Sobre el puño, la barba.
Sobre la mesa, en cruz,
África
desangrada.
África verdinegra y azulblanca,
de geografía y mapa.

El dedo, hijo de César,
penetra el continente:
No hablan las aguas de papel,
ni los desiertos de papel,
ni las ciudades de papel.
El mapa, frío, de papel,
y el dedo, hijo de César,
con la uña sangrienta, ya clavada,
sobre una Abisinia de papel.

¡Qué diablo de pirata,
Mussolini,
con la cara tan dura
y la mano tan larga!

Abisinia se encrespa,
se enarca,
grita,
rabia,
protesta.
¡Il Duce!
Soldados.
Guerra.
Barcos.

Mussolini, en automóvil,
da su paseo matinal;
Mussolini, a caballo,
en su ejercicio vesperal;
Mussolini, en avión,
de una ciudad a otra ciudad.
Mussolini, bañado,
fresco,
limpio,
vertiginoso,
Mussolini, contento.
Y serio.
¡Ah, pero los soldados
irán cayendo y tropezando!

Los soldados
no harán su viaje sobre un mapa,
sino sobre el suelo de África,
bajo el sol de África.
Allá no encontrarán ciudades de papel;
las ciudades serán algo más que puntos que hablen
con verdes vocecitas topográficas:
Hormigueros de balas,
toses de ametralladoras,
cañaverales de lanzas.

Entonces, los soldados
(que no hicieron su viaje sobre un mapa)
los soldados,
lejos de Mussolini,
solos;
los soldados
se abrasarán en el desierto,
y mucho más pequeños, desde luego,
los soldados
irán secándose después lentamente al sol,
los soldados
devueltos
en el excremento de los buitres.

(*Cantos para soldados y sones para turistas*, 1937)

Yanqui con soldado

Grave, junto a la puerta del yanqui diplomático,
vela un soldado el sueño de quien mi ensueño ahoga;
ese cangrejo hervido, de pensamiento hepático,
dueño de mi esperanza, del palo y de la soga.

Allí, de piedra, inmóvil. Pero el fusil hierático,
cuando terco me acerco su rigidez deroga;
clávame su monóculo de cíclope automático,
me palpa, me sacude, me vuelca, me interroga.

¿Quién eres? ¿A quién buscas? Saco mi voz, y digo:
Uno a quien el que cuidas, pan y tierra suprime.
Ando en pos de un soldado que quiera ser mi amigo.

Ya sabrás algún día por qué tu padre gime,
y cómo el mismo brazo que ayer lo hizo mendigo,
engorda hoy con la sangre que de tu pecho exprime.

(*Cantos para soldados y sones para turistas,* 1937)

Elegía a un soldado vivo

Hierro de amargo filo en dócil vaina,
y el sol en la polaina.
Caballo casquiduro,
trotón americano,
salada espuma y freno bien seguro.
Cuero y sudor, la mano.

Así, pasas, redondo,
encendiendo la calle,
preso en guerrera de ardoroso talle.
Así al pasar me miras
con ojo elemental en cuyo fondo
una terrible compasión descuaja
cielos de punta en tempestad de iras
sobre mi pecho a la intemperie y hondo.

Así pasas, sonriendo,
áureo resplandeciendo,
momia ya en la mortaja:
Tú, cuya mano rápida me ultraja
si a algún insulto de tu voz respondo;
tú, soldado, soldado,
en tu machete en cruz, crucificado.

Cuatro paredes altas
que ni tumbas ni saltas;

muda lengua, bien muda,
ya podrida, en la boca.
Vena sin sangre, corazón sin duda,
plomo, madera, roca.

Tan lejos en tu potro te perdiste,
que hoy no hallas, hombre triste,
sólo en ti, sin ti mismo,
voz que ciegue tu abismo,
corriendo como vas a campo abierto,
sino el mazazo que tus toros castra,
y que aunque estalle el porvenir despierto
hacia ese abismo próximo te arrastra:
A ti, pobre soldado,
en tu machete en cruz crucificado.

Labio de vidrio, seco.
Cabeza de muñeco.
Caña, plátanos, hulla,
saliva de vinagre, espalda roja
donde el látigo aúlla,
marca, hiere, se moja.
Bien te recuerdo, hermano,
limpio, sereno, sano.
Cetrino campesino
de escuetas esperanzas verticales;
mi familiar montuno,
seco y huraño, a tu manera fino;
dios del agro vacuno
donde con almas verdes, musicales,
la sal de tus ensueños dividías:
El cielo, el pan, el techo,
la tierra de tu pecho,
el agua, siempre mansa, de tus días.

Te faltó quien viniera,
soldado, y al oído te dijera:
«Eres esclavo, esclavo
como esos bueyes gordos,

ciegos, tranquilos, sordos,
que pastan bajo el sol meneando el rabo.
Esta paz es culpable.
¡Cuándo será que hable
tu boca, y que tu rudo pecho grite,
se rebele y agite!
Tú, paria en Cuba, solo y miserable,
puedes rugir con voz del Continente:
La sangre que te lleva en su corriente
es la misma en Bolivia, en Guatemala,
en Brasil, en Haití… Tierras oscuras,
tierras de alambre para vuelo y ala,
quemadas por iguales calenturas,
secas a golpes de puñal y bala,
y en las que garras duras
están con pico y pala
día y noche cavando sepulturas.
Y tú, cuerpidesnudo,
mohoso, pétreo, mudo,
ofreciendo tu cuello,
tus uñas, tu resuello,
para encender sortijas,
empujar automóviles,
y sucio ver el vientre de tus hijas,
con las manos inmóviles.»
Sí… Faltó quien viniera,
y estas simples verdades te dijera.

Ahora pasas, redondo.
La alegría en el fondo
de ti mismo, y encendiendo la calle
esa guerrera de ardoroso talle.
¿Será posible que tu mano agraria,
la que empujó el arado
sobre la tierra paria;
tu mano campesina, hoy de soldado,
que no robó al ganado
la sombra de su selva solitaria,
ora quitarme quiera

mi pan de cada día,
para hacer aún más gorda la chequera
del amo fiero que en tu máuser fía?
¡Di que no, di que no! Di, compañero,
que tu hermano es primero:
Que vienes de la tierra, eres de tierra
y a la tierra darás tu amor postrero;
que no irás a la guerra
a morir por petróleo o por asfalto,
mientras tu impar caldero
de primordial maíz bosteza falto;
y que ese brazo rudo
sólo es del perseguido
a quien nadie recuerda cuando cae,
y a quien el sol desnudo
la tibia sangre en el sudor extrae,
como a golpes de un látigo encendido.
¡Di que sí, di que sí! ¡Di, compañero,
que tu hermano es primero!

¡Ah querido, querido!
No tú soldado muerto,
soldado tú, dormido.
Ven y grita en mis calles, tú, despierto,
tú, con lengua, con dientes, con oídos;
de húmeda piel cubierto
el ancho cuello henchido,
y el zapato aplastando el triunfo cierto;
que así ha de ver el mundo suspendido
nuestro futuro abierto,
fragua la una mitad y la otra nido,
y sobre el lomo del pasado yerto
el incendio implacable del olvido,
como una luna roja en el desierto.

(*Cantos para soldados y sones para turistas,* 1937)

Balada del policía y el soldado

Soldado trajiamarillo,
policía de azul dril;
mano ciega, sordo brillo:
Palo y fusil.

Sobre las calles desnudas,
fosca noche sin luceros
envuelve dos sombras rudas
de ojos fieros.

El fusil, acero malo,
chilla, si la luz le da;
sobre las piedras, el palo
gruñe: ¡Tra, tra!

(El soldado fue tornero,
el policía, zapatero.)

Ah soldado, mi soldado,
¿cómo has podido escapar?
¡Los torneros que te buscan
pronto te van a encontrar!
Policía,
¿a dónde has ido a parar?
¡Los zapateros preguntan
por tu fiero delantal!

Pasos en la calle oscura
donde la pareja está.
Grita el fusil con voz dura:
—¡Alto! ¿Quién va?
—Va un tornero,
que anda tras su compañero;
vengo porque hablarte quiero...
—No es tornero, que es soldado—
chilla el fusil sin compás,
y después escupe airado:
¡Eche pa'trás!

Pasos en la calle oscura
donde la pareja está.
Grita el palo con voz dura:
—¡Alto! ¿Quién va?
—Zapatero,
aquí está tu compañero;
vengo, porque hablarte quiero...
Pero el palo chilla fiero:
—¡Tome! ¡Tome! ¡Tome y tome!
Avise si quiere más;
tumbe por ahí y no embrome.
¡Eche pa'trás!

Silencio. Pero después
de la noche cuelga un canto
como una luna de hiel:
«Torneros, mucho cuidado,
que ahora es soldado el tornero;
soldado de cuerpo entero
y con los ojos vendados.
¡Zapatero, policía,
mira que se hace de día
y estás de uniforme nuevo!»

(Cantos para soldados y sones para turistas, 1937)

Soldado libre

¡Ya no volveré al cuartel,
suelto por calles y plazas,
yo mismo, Pedro Cortés!

Yo mismo dueño de mí,
ya por fin libre de guardias,
de uniforme y de fusil.

Podré a mi pueblo correr,
y gritar, cuando me vean:
¡Aquí está Pedro Cortés!

Podré trabajar al sol,
y en la tierra que me espera,
con mi arado labrador.

Ser hombre otra vez de paz,
cargar niños, besar frentes,
cantar, reír y saltar.

¡Ya no volveré al cuartel,
suelto por calles y plazas,
yo mismo, Pedro Cortés!

(*Cantos para soldados y sones para turistas*, 1937)

José Ramón Cantaliso

José Ramón Cantaliso,
canta liso, canta liso
José Ramón.

Duro espinazo insumiso:
Por eso es que canta liso
José Ramón Cantaliso,
José Ramón.

En bares, bachas, bachatas,
a los turistas a gatas
y a los nativos también,
a todos, el son preciso,
José Ramón Cantaliso
les canta liso, muy liso,
para que lo entiendan bien.

Voz de cancerosa entraña,
humo de solar y caña,
que es nube prieta después:
Son de guitarra madura,
cuya cuerda ronca y dura

no se enreda en la cintura,
ni prende fuego en los pies.

Él sabe que no hay trabajo,
que el pobre se pudre abajo,
y que tras tanto luchar,
el que no perdió el resuello,
o tiene en la frente un sello,
o está con el agua al cuello,
sin poderlo remediar.

Por eso de fiesta en fiesta,
con su guitarra protesta,
que es su corazón también,
y a todos el son preciso,
José Ramón Cantaliso
les canta liso, muy liso,
para que lo entiendan bien.

I. CANTALISO EN UN BAR

(Los turistas en el bar:
Cantaliso, su guitarra,
y un son que comienza a andar.)

—No me paguen porque cante
lo que no les cantaré;
ahora tendrán que escucharme
todo lo que antes callé.
¿Quién los llamó?
Gasten su plata,
beban su alcol,
cómprense un güiro,
pero a mí no,
pero a mí no,
pero a mí no.

Todos estos yanquis rojos
son hijos de un camarón,
y los parió una botella,
una botella de ron.
¿Quién los llamó?
Ustedes viven,
me muero yo,
comen y beben,
pero yo no,
pero yo no,
pero yo no.

Aunque soy un pobre negro,
sé que el mundo no anda bien;
¡ay, yo conozco a un mecánico
que lo puede componer!
¿Quién los llamó?
Cuando regresen
a Nueva York,
mándenme pobres
como soy yo,
como soy yo,
como soy yo.

A ellos les daré la mano,
y con ellos cantaré,
porque el canto que ellos saben
es el mismo que yo sé.

II. VISITA A UN SOLAR

(Turistas en un solar.
Canta Cantaliso un son
que no se puede bailar.)

—Mejor que en hotel de lujo,
quédense en este solar:
Aquí encontrarán de sobra

lo que allá no han de encontrar.
Voy a presentar, señores,
a Juan Cocinero:
Tiene una mesa, tiene una silla,
tiene una silla, tiene una mesa
y un reverbero.
El reverbero está sin candela,
muy disgustado con la cazuela.
¡Verán qué alegre, qué placentero,
qué alimentado, qué complacido
pasa la vida Juan Cocinero!

Interrumpe Juan Cocinero:

—¡Con lo que un turista traga
nada más que en aguardiente
cualquiera un cuarto se paga!

Sigue el son:

—...Y éste es Luis, el caramelero;
y éste es Carlos, el isleño;
y aquel negro
se llama Pedro Martínez,
y aquel otro,
Norberto Soto,
y aquella negra de más allá,
Petra Sardá.
Todos viven en un cuarto,
seguramente
porque resulta barato.
¡Qué gente,
qué gente tan consecuente!

Todos a coro:

—¡Con lo que un turista traga
nada más que en aguardiente
cualquiera un cuarto se paga!

Sigue el son:

—Y la que tose, señores,
sobre esa cama,
se llama Juana:
Tuberculosis en tercer grado,
por un resfriado
muy mal cuidado.
la muy idiota pasaba el día
sin un bocado.
¡Qué tontería!
¡Tanta comida que se ha botado!

Todos a coro:

—¡Con lo que un yanqui ha gastado
no más que en comprar botellas
se hubiera Juana curado!

Termina el son:

—¡Turistas, quédense aquí,
que voy a hacerlos gozar:
turistas, quédense aquí,
que voy a hacerlos gozar,
cantándoles sones, sones
que no se pueden bailar!

III. SON DEL DESAHUCIO

—El alquiler se cumplió:
Te tienes que mudar;
ay, pero el problema es serio,
muy serio,
pero el problema es muy serio,
porque no hay con qué pagar.

Si encuentras cuarto vacío,
te tienes que mudar,
y si acaso no lo encuentras,
te tienes que mudar.
Si el dueño dice: «Lo siento»,
te tienes que mudar;
pero si no dice nada,
te tienes que mudar;
Como quiera, como quiera,
te tienes que mudar;
con dinero, sin dinero,
te tienes que mudar;
donde sea, como sea,
te tienes que mudar,
te tienes que mudar,
¡te tienes que mudar!

Calma, mi compadre, calma,
vamos los dos a cantar,
que llegue el casero ahora,
él nos podrá acompañar.

—Escuche, amigo casero,
ayer me citó el Juzgado,
y dije que no he pagado
porque no tengo dinero,
y estoy parado.
Yo no me voy a la calle,
porque la lluvia me moja;
venga usted, casero y diga,
diga,
venga usted, casero y diga,
diga,
si va a curarme el catarro,
si va a curarme el catarro,
después que el agua me coja.

Conozco hoteles vacíos
y casas sin habitantes:

¿Cómo voy a estar de pie,
con tantos puestos vacantes?
Calma, mi compadre, calma,
vamos lo dos a cantar;
que llegue el casero ahora,
él nos podrá acompañar.
¿Es que a usted lo achica el miedo?
No, señor;
a mí no me achica el miedo,
y aquí me quedo,
sí, señor,
y aquí me quedo,
sí, señor,
y aquí me quedo...

(*Cantos para soldados y sones para turistas*, 1937)

Mi patria es dulce por fuera...

Mi patria es dulce por fuera,
y muy amarga por dentro;
mi patria es dulce por fuera,
con su verde primavera,
con su verde primavera,
y un sol de hiel en el centro.

¡Qué cielo de azul callado
mira impasible tu duelo!
¡Qué cielo de azul callado,
ay, Cuba, el que Dios te ha dado,
ay, Cuba, el que Dios te ha dado,
con ser tan azul tu cielo!

Un pájaro de madera
me trajo en su pico el canto;
un pájaro de madera.
¡Ay, Cuba, si te dijera,
yo que te conozco tanto,

ay, Cuba, si te dijera,
que es de sangre tu palmera,
que es de sangre tu palmera,
y que tu mar es de llanto!

Bajo tu risa ligera,
yo, que te conozco tanto,
miro la sangre y el llanto,
bajo tu risa ligera.

Sangre y llanto
bajo tu risa ligera;
sangre y llanto
bajo tu risa ligera.
Sangre y llanto.

El hombre de tierra adentro
está en un hoyo metido,
muerto sin haber nacido,
el hombre de tierra adentro.
Y el hombre de la ciudad,
ay, Cuba, es un pordiosero:
Anda hambriento y sin dinero,
pidiendo por caridad,
aunque se ponga sombrero
y baile en la sociedad.
(Lo digo en mi son entero,
porque es la pura verdad.)

Hoy yanqui, ayer española,
sí, señor,
la tierra que nos tocó,
siempre el pobre la encontró
si hoy yanqui, ayer española,
¡cómo no!
¡Qué sola la tierra sola,
la tierra que nos tocó!

La mano que no se afloja
hay que estrecharla en seguida;

la mano que no se afloja,
china, negra, blanca o roja,
china, negra, blanca o roja,
con nuestra mano tendida.

Un marino americano,
bien,
en el restaurant del puerto,
bien,
un marino americano
me quiso dar con la mano,
me quiso dar con la mano,
pero allí se quedó muerto,
bien,
pero allí se quedó muerto
el marino americano
que en el restaurant del puerto
me quiso dar con la mano,
¡bien!

(*El són entero*, 1947)

Cuando yo vine a este mundo

Cuando yo vine a este mundo,
nadie me estaba esperando;
así mi dolor profundo
se me alivia caminando,
pues cuando vine a este mundo,
te digo,
nadie me estaba esperando.

Miro a los hombres nacer,
miro a los hombres pasar;
hay que andar,
hay que mirar para ver,
hay que andar.

Otros lloran, yo me río,
porque la risa es salud:
Lanza de mi poderío,
coraza de mi virtud.
Otros lloran, yo me río,
porque la risa es salud.

Camino sobre mis pies,
sin muletas ni bastón,
y mi voz entera es
la voz entera del son.
Camino sobre mis pies,
sin muletas ni bastón.

Con el alma en carne viva,
abajo, sueño y trabajo;
ya estará el de abajo arriba
cuando el de arriba esté abajo.
Con el alma en carne viva,
abajo, sueño y trabajo.

Hay gentes que no me quieren,
porque muy humilde soy;
ya verán como se mueren
y que hasta a su entierro voy,
con eso y que no me quieren
porque muy humilde soy.

Miro a los hombres nacer,
miro a los hombres pasar;
hay que andar,
hay que vivir para ver,
hay que andar.

Cuando yo vine a este mundo,
te digo,
nadie me estaba esperando;
así mi dolor profundo,
te digo,

se me alivia caminando,
te digo,
pues cuando vine a este mundo,
te digo,
¡nadie me estaba esperando!

(El són entero, 1947)

Una canción en el Magdalena

COLOMBIA

Sobre el duro Magdalena,
largo proyecto de mar,
islas de pluma y arena
graznan a la luz solar.
           Y el boga, boga.

El boga, boga
preso en su aguda piragua,
y el remo, rema; interroga
al agua.
           Y el boga, boga.

Verde negro y verde verde,
la selva elástica y densa,
ondula, sueña, se pierde,
camina y piensa.
           Y el boga, boga.

¡Puertos
de oscuros brazos abiertos!
Niños de vientre abultado
y ojos despiertos.
Hambre. Petróleo. Ganado...
           Y el boga, boga.

Va la gaviota esquemática,
con ala breve y sintética,
volando apática...
Blanca, la garza esquelética.
                    Y el boga, boga.

Sol de aceite. Un mico duda
si saluda o no saluda
desde su palo, en la alta
mata donde chilla y salta
y suda...
                    Y el boga, boga.

¡Ay, qué lejos Barranquilla!
Vela el caimán a la orilla
del agua, la boca abierta.
Desde el pez, la escama brilla.
Pasa una vaca amarilla
muerta
                    Y el boga, boga.

El boga, boga
sentado,
boga.

El boga, boga
callado,
boga.

El boga, boga
cansado,
boga...

El boga, boga
preso en su aguda piragua,
y el remo, rema: Interroga
al agua.

                              (*El son entero,* 1947)

Son venezolano

Con mi *tres* o con su *cuatro,*
cante, Juan Bimba,
yo lo acompaño.

—Canto en Cuba y Venezuela,
y una canción se me sale:
¡Qué petróleo tan amargo,
caramba,
ay, qué amargo este petróleo,
caramba,
que a azúcar cubano sabe!

¡Cante, Juan Bimba,
yo lo acompaño!

—La misma mano extranjera
que está sobre mi bandera,
la estoy mirando en La Habana:
¡Pobre bandera cubana,
cubana o venezolana,
con esa mano extranjera,
inglesa o americana,
mandándonos desde fuera!

¡Cante, Juan Bimba,
yo lo acompaño!

—Zamora, véngase acá,
tráigase sus huesos juntos,
y dejando a los difuntos
camine y despierte ya.
Aquí este bojote está
muy parecido al sesenta:
El que puede, se calienta,
el que no, se pone a enfriar,
y a la hora de contar
todos enredan la cuenta.

¡Cante, Juan Bimba,
yo lo acompaño!

—Ando a pie, bebo parado,
me buscan cuando hago falta,
y mi cobija es tan alta
que duermo sobre ella echado.
Éste es mi canto cerrado,
que en vez de cantar recito;
ahora lo digo pasito,
porque es cosa suya y mía,
pero así que llegue el día,
en vez de cantar, ¡lo grito!

¡Grite, Juan Bimba,
yo lo acompaño!

(*El son entero*, 1947)

Barlovento

VENEZUELA

1

Cuelga colgada,
cuelga en el viento,
la gorda luna
de Barlovento.

Mar: Higuerote.
(La selva untada
de chapapote.)

Río: Río Chico.
(Sobre una palma,
verde abanico,

duerme un zamuro
de negro pico.)

Blanca y cansada,
la gorda luna
cuelga colgada.

2

El mismo canto
y el mismo cuento,
bajo la luna
de Barlovento.

Negro con hambre,
piernas de soga,
brazos de alambre.

Negro en camisa,
tuberculosis
color ceniza.

Negro en su casa,
cama en el suelo,
fogón sin brasa.

¡Qué cosa cosa,
más triste triste,
más lastimosa!

(Blanca y cansada,
la gorda luna
cuelga colgada.)

3

Suena, guitarra
de Barlovento,
que lo que digas
lo lleva el viento.

—Dorón dorando
un negro canta,
y está llorando.

—Dorán dorendo,
amigos, sepan
que no me vendo.

—Dorón dorindo,
si me levanto,
ya no me rindo.

—Dorón dorondo,
de un negro hambriento
yo no respondo.

(Blanca y cansada,
la gorda luna
cuelga colgada.)

(*El sön entero*, 1947)

La muralla

Para hacer esta muralla,
tráiganme todas las manos:
Los negros, sus manos negras,
los blancos, sus blancas manos.
Ay,
una muralla que vaya
desde la playa hasta el monte,

desde el monte hasta la playa, bien,
allá sobre el horizonte.

—¡Tun, tun!
—¿Quién es?
—Una rosa y un clavel...
—¡Abre la muralla!
—¡Tun, tun!
—¿Quién es?
—El sable del coronel...
—¡Cierra la muralla!
—¡Tun, tun!
—¿Quién es?
—La paloma y el laurel...
—¡Abre la muralla!
—¡Tun, tun!
—¿Quién es?
—El alacrán y el ciempiés...
—¡Cierra la muralla!

Al corazón del amigo,
abre la muralla;
al veneno y al puñal,
cierra la muralla;
al mirto y la yerbabuena,
abre la muralla;
al diente de la serpiente,
cierra la muralla;
al ruiseñor en la flor,
abre la muralla...

Alcemos una muralla
juntando todas las manos;
los negros, sus manos negras,
los blancos, sus blancas manos.
Una muralla que vaya
desde la playa hasta el monte,
desde el monte hasta la playa, bien,
allá sobre el horizonte...

                          (*La paloma de vuelo popular*, 1958)

El banderón

Como un puñal, como un arpón,
el banderón americano
en tu costado de carbón.
Sucio de sangre el banderón.
Un yanqui allí látigo en mano.

En la sombría plantación,
donde tu voz alzas en vano
y te exprimen el corazón,
sé que sofoca tu canción
un yanqui allí, látigo en mano.

Sé de la bala en el pulmón
y del capitán inhumano
y de la nocturna prisión.
Arde el violento barracón.
Un yanqui allí, látigo en mano.

Rojo desciende de su avión
míster Smith, un cuadrumano
de la selva de Guasintón.
Hay coctel en la legación.
Un yanqui allí, látigo en mano.

Será tal vez una ilusión,
tal vez será un ensueño vano,
mas veo rodar el banderón
y arder al viento tu canción,
puesta en el mástil por tu mano.

(*La paloma de vuelo popular*, 1958)

La policía

La policía
(paso de alfombra
y ojo de gato)
mira en la sombra.

Vigila el gato.
(Pasa una sombra.)
La policía
se hunde en la alfombra.

¡La policía!
¡Alzad la alfombra!
¡Matad el gato
que está en la sombra!

(*La paloma de vuelo popular*, 1958)

Canción puertorriqueña

¿Cómo estás, Puerto Rico,
tú, de socio asociado en sociedad?
Al pie de cocoteros y guitarras,
bajo la luna y junto al mar,
¡qué suave honor andar del brazo,
brazo con brazo del Tío Sam!
¿En qué lengua me entiendes,
en qué lengua por fin te podré hablar,
si en yes,
si en sí,
si en bien,
si en well,
si en mal,
si en bad, si en very bad?

Juran los que te matan
que eres feliz... ¿Será verdad?

Arde tu frente pálida,
la anemia en tu mirada logra un brillo fatal;
masticas una jerigonza
medio española, medio slang;
de un empujón te hundieron en Corea,
sin que supieras por quién ibas a pelear,
si en yes,
si en sí,
si en bien,
si en well,
si en mal,
si en bad, si en very bad!

Ay, yo bien conozco a tu enemigo,
el mismo que tenemos por acá,
socio en la sangre y el azúcar,
socio asociado en sociedad:
United States and Puerto Rico,
es decir New York City with San Juan,
Manhattan y Borinquen, soga y cuello,
apenas nada más...
No yes,
no sí,
no bien,
no well,
sí mal,
sí bad, sí very bad!

(*La paloma de vuelo popular*, 1958)

Pequeña letanía grotesca en la muerte del senador McCarthy

He aquí al senador McCarthy,
muerto en su cama de muerte,
flanqueado por cuatro monos;
he aquí al senador McMono,
muerto en su cama de Carthy,

flanqueado por cuatro buitres;
he aquí al senador McBuitre,
muerto en su cama de mono,
flanqueado por cuatro yeguas;
he aquí al senador McYegua,
muerto en su cama de buitre,
flanqueado por cuatro ranas:
                    McCarthy Carthy.

He aquí al senador McDogo,
muerto en su cama de aullidos,
flanqueado por cuatro gángsters;
he aquí al senador McGángster,
muerto en su cama de dogo,
flanqueado por cuatro gritos;
he aquí al senador McGrito,
muerto en su cama de gángster,
flanqueado por cuatro plomos;
he aquí al senador McPlomo,
muerto en su cama de gritos,
flanqueado por cuatro esputos:
                    McCarthy Carthy.

He aquí al senador McBomba,
muerto en su cama de injurias,
flanqueado por cuatro cerdos;
he aquí al senador McCerdo,
muerto en su cama de bombas,
flanqueado por cuatro lenguas;
he aquí al senador McLengua,
muerto en su cama de cerdo,
flanqueado por cuatro víboras;
he aquí al senador McVíbora,
muerto en su cama de lenguas,
flanqueado por cuatro búhos:
                    McCarthy Carthy.

He aquí al senador McCarthy,
       McCarthy muerto,

muerto McCarthy,
bien muerto y muerto,
amén.

                              (*La paloma de vuelo popular*, 1958)

Mau-maus

Envenenada tinta
habla de los mau-maus;
negros de dientes y uña,
de antropofagia y totem.
Gruñe la tinta, cuenta,
dice que los mau-maus
mataron a un inglés...
(Aquí en secreto: Era
el mismo inglés de kepis
profanador, de rifle
civilizado y remington,
que en el pulmón de África
con golpe seco y firme
clavó su daga-imperio,
de hierro abecedario,
de sífilis, de pólvora,
de money, business, yes.)

Letras de larga tinta
cuentan que los mau-maus
casas de sueño y trópico
británicas tomaron
y a fuego, sangre, muerte,
bajo el asalto bárbaro
cien ingleses cayeron...
(Aquí en secreto: Eran
los mismos cien ingleses
a quienes Londres dijo:
—Matad, comed mau-maus;
barred, incendiad Kenya;

que ni un solo kikuyus
viva, y que sus mujeres
por siempre de ceniza
servida vean su mesa
y seco vean su vientre.)

Tinta de largas letras
cuenta que los mau-maus
arrasan como un río
salvaje las cosechas,
envenenan las aguas,
queman las tierras próvidas,
matan toros y ciervos.
(Aquí en secreto: Eran
dueños de diez mil chozas,
del árbol, de la lluvia,
del sol, de la montaña,
dueños de la semilla,
del surco, de la nube,
del viento, de la paz...)
Algo sencillo y simple,
¡oh inglés de duro kepis!,
simple y sencillo: Dueños.

                    (*La paloma de vuelo popular*, 1958)

A Guatemala

Nací donde la caña al cielo fino
su verde volador de un golpe lanza,
como una vegetal certera lanza
que traspasa al partir el aire fino.

El mar pasé. Las olas un camino
me abrieron al quetzal, que es tu esperanza:
Hoy junto mi esperanza a tu esperanza,
juntas las dos, camino en tu camino.

Cañaveral y platanal, oscura
sangre derraman de una misma herida
de puñal, en la misma noche oscura.

¡Oh Guatemala, con tu oscura herida!
¡Oh Cuba, oh patria con tu herida oscura!
(Hay un sol que amanece en cada herida.)

(La paloma de vuelo popular, 1958)

Canción carioca

¿Te hablaron ya de Río,
del Pan, del Corcovado
y el sanguinario estío?
        ¿Te han hablado?

De la boite encendida
y el salón apagado,
del verdor de la vida,
        ¿te han hablado?

Del carnaval rupestre,
semental desbocado,
rojo arcángel terrestre,
        ¿te han hablado?

Del mar y la campaña,
del cielo repujado,
que ni una nube empaña,
        ¿te han hablado?

Yo te hablo de otro Río:
Del Río de Janeiro
de no-techo, sí-frío,
hambre-sí, no-cruzeiro.

Del llanto sin pañuelo,
del pecho sin escudo,

de la trampa y el vuelo,
de la soga y el nudo.

El jazz en la soirée
sacude el aire denso;
yo pienso en el café
(y lloro cuando pienso.)

Mas pienso en la favela.
La vida allí estancada
es un ojo que vela.
Y pienso en la alborada.

¿Te hablaron ya de Río,
con su puñal clavado
en el pecho sombrío?
       ¿Te han hablado?

                (*La paloma de vuelo popular*, 1958)

Doña María

¡Ay, pobre doña María,
ella, que no sabe nada!
Su hijo, el de la piel manchada,
a sueldo en la policía.

Ayer, taimado y sutil,
rondando anduvo mi casa.
¡Pasa! —pensé al verle—. ¡Pasa!
(Iba de traje civil.)

Señora tan respetada,
la pobre doña María,
con un hijo policía,
y ella, que no sabe nada.

                (*La paloma de vuelo popular*, 1958)

Sputnik 57

Alta noche en el Cielo... Sosegado,
como quien vive (y con razón) contento,
sin futuro, presente ni pasado
y en blanco el pensamiento,
duerme Dios en su nube,
situada en lo mejor del Firmamento:
Lecho desmesurado,
cama imperial y al mismo tiempo trono,
hecho de lapislázuli dorado,
con adornos de nácar, humo y viento.
Huele a jazmín eléctrico y a ozono.
Del abismo terrestre
el eco amortiguado
confuso y vago sube
pues filtra, cataloga, desmenuza
todo ruido indiscreto
un gran querube armado
aunque por regla celestial no es lícito
(y aun se tiene por falta de respeto)
que ande armado un querube.
Ni suaves oraciones,
como puros, blanquísimos pichones
del Espíritu Santo,
ni dobles de campana,
de esos que vuelan dulces
de la parroquia mínima,
disueltos en la brisa ciudadana,
o los más poderosos
de las iglesias ricas, las de piedra,
góticas medievales catedrales,
con obispos ociosos,
con obispos golosos y orquestales.
Ni misas, ni sonrisas,
ni ruegos, procesiones y rosarios,
ni siquiera una nota
del órgano profundo,
ni una expresión devota

del millón que escuchamos cada día
brotar del seco corazón del mundo:
Nada se arrastra o aleteando sube
hasta en trono de Dios, quien sosegado
duerme en su enorme nube,
mientras le cuida el sueño un gran querube,
un gran querube armado.

Veloces los cometas matemáticos
pasan rubios, en ondas sucesivas;
las estrellas monóculas
brillan suspensas en el techo ingrávido;
piafan, caracolean
finos planetas de color oscuro
y en el éter patean
y polvo elevan con el casco puro.
¡Qué fastidio inmortal! Eternamente
Venus en su sayal de lumbre baja,
Aldebarán con su camisa roja,
la Luna a veces queso, otras navaja;
los niños asteroides
y sus viejas nodrizas;
el Sol redondo y bonachón, cenizas
de otros mundos, etcétera.
Es decir, todo el denso
paravent estelar, el toldo inmenso
tras el cual duerme Dios en una nube,
apacible y confiado,
mientras le cuida el sueño un gran querube,
un gran querube armado.

Hasta que Dios despierta… Con mirada
seca, de un golpe rápido recorre
su vasto imperio. Cuenta las estrellas,
revisa los planetas, y asustada
la voz pregunta al vigilante angélico:
—¿No habéis notado nada?
He sentido un pequeño
sacudimiento celestial, un leve

chasquido en medio de la augusta niebla
de mi profundo sueño.
—¡Oh, Dios, oh, Padre, oh, Justo! ¡Pura Causa
de la Vida Inmortal! —gimió el querube—,
he visto de aquel astro
(y aquí el querube señaló en la Tierra
el país de granito y esperanza
donde el Kremlin sus álgidos rubíes
sostiene en graves torres),
he visto de aquel astro
una estrella partir. Su rastro breve
era sonoro y fino. Todavía
viaja, está allí. Con encendidas puntas
deja en la noche una impecable estría.
Volvió la vista Dios hacia la zona
donde el globo mecánico
se mueve en que vivimos,
con su nívea corona,
con sus gordos racimos,
el aire (un poco) de sensual matrona.
La Luna, en un sudario de sonetos,
convencional y pálida moría
como siempre. Y huyendo de la Luna,
recién nacida eufórica,
otra luna corriendo se veía.
Dios contempló indeciso
aquel punto brillante,
aquel astro insumiso,
que se metió en el Cielo sin permiso,
y cabizbajo se quedó un instante.
(Un instante de Dios, como se sabe,
es un milenio para el hombre, atado
a los minutos mínimos, al tiempo
que en la clepsidra cae...) De manera
que Dios aún permanece
silencioso, sentado
donde vela impasible un gran querube,
un gran querube armado.

TELEGRAMAS DE SPELLMAN, EXPEDIDOS
DESDE NEW YORK, ANUNCIAN
ROGATIVAS. VALORES SOSTENIDOS
SE DERRUMBAN. PÁNICO Y EDICIONES
EXTRAS DE LOS PERIÓDICOS. CONSULTAS
AL PENTÁGONO. RADIO-
TELEVISIÓN OFRECE,
EN VEZ DE ASESINATOS Y CANCIONES,
EL DISCURSO DE UN SABIO MELANCÓLICO
QUE PROMETE LA LUNA A FIN DE AÑO
Y LOS VIAJES A HÉRCULES
DENTRO DE DOS, Y UN BAÑO
DE SOL, NO YA EN LA PLAYA
SINO EN EL SOL...

                Un vasto griterío
(griterío en inglés) estalla y sube
como una nube inmensa hasta la nube
donde está Dios sentado
con un querube al lado, un gran querube,
un gran querube armado.

¡Oh, Mapamundi, gracia de la escuela!
Cuando en el aula pura
de mi niñez veía
girando tu redonda geografía
pintada de limón y de canela,
reo en una prisión alta y oscura
irremediablemente me sentía.
¿Cómo rasgar un día
de aquella jaula hermética
el sello azul y al cielo interminable
salir donde los astros son ya música
y el cuerpo sombra vagarosa y leve?
¡Qué miedo insuperable!
Acaso Dios con su bocina ronca,
desde sus barbas de revuelta nieve,
iba a tronar en un gran trueno, justo
como todos sus truenos. O en la roja

atmósfera en que el Diablo precipita
hirviente azufre, hundir al desdichado
—propicio leño a la infernal candela—
que imaginó en su fiebre
romper el equilibrio ponderado
del Mapamundi, gracia de la escuela.

Pero Dios no lo supo,
ni el Diablo se enteró. Titán en vela,
el hombre augusto, el denso
mortal que arde y fornica,
que repta a veces y que a veces vuela,
el hombre soberano y cotidiano,
que come, suda, llora, enferma, ríe,
el que te da la mano
en la calle y te dice «¡Qué buen tiempo!»
o «¡Es duro este verano!». Tu cercano,
tu próximo, tu hermano,
deshizo la clausura,
rompió el sello celeste
que como techo astral el mundo había,
y se lanzó a la noche inmensa y pura.

Llenad la copa del amor, vacía.
Mezclad, mezclemos risas y alcoholes,
sangres, suspiros, huesos,
corazones y besos,
relámpagos y soles.
Suba el terrestre brindis
por la paz, por la vida,
y si queréis, mientras el brindis sube,
recordad que aún reposa sosegado,
recordad que aún reposa
Dios en su inmensa nube,
con un querube al lado, un gran querube,
un gran querube armado.

(*La paloma de vuelo popular*, 1958)

Bonsal

Bonsal llegó en el viento. Este Bonsal
es el Embajador. Animal
ojiazul, peliplúmbeo, de color
rojicarne, que habla un inglés letal.
(¿Cómo se dice? ¿Bónsal? Oh, señor,
es igual.)

Sonrisas. Las sonrisas
arden como divisas.
Saludos. Los saludos
son suaves gestos mudos.
Promesas. Las promesas
anuncian largas mesas.
Y el águila imperial.
Y el dólar y el dolor.
Y el mundo occidental.
Bonsal. Este Bonsal
es el Embajador.

¿Qué quiere? Que Fidel
hable un poco con él.
Que la gente medite,
no que proteste o grite.
Que el campesino aquiete
su rifle y su machete.
Que vaya cada cual
a refrescar su ardor
con agua mineral.
Bonsal. Este Bonsal
es el Embajador.

Cuba por fin en calma. No Martí.
No Maceo. Washington es mejor.
¿El General? ¡Oh, no, la capital!
Y continuar así,
como quiere Bonsal,
que es el Embajador.

Noche. Ni un resplandor.
Sopor. Guardia Rural.
¿De acuerdo?
                    —No, señor.

                                                    (*Tengo,* 1964)

Tengo

    Cuando me veo y toco,
    yo, Juan sin Nada no más ayer,
    y hoy Juan con Todo,
    y hoy con todo,
    vuelvo los ojos, miro,
    me veo y toco
    y me pregunto cómo ha podido ser.

    Tengo, vamos a ver,
    tengo el gusto de andar por mi país,
    dueño de cuanto hay en él,
    mirando bien de cerca lo que antes
    no tuve ni podía tener.
    Zafra puedo decir,
    monte puedo decir,
    ciudad puedo decir,
    ejército decir,
    ya míos para siempre y tuyos, nuestros,
    y un ancho resplandor
    de rayo, estrella, flor.

    Tengo, vamos a ver,
    tengo el gusto de ir
    yo, campesino, obrero, gente simple,
    tengo el gusto de ir
    (es un ejemplo)
    a un banco y hablar con el administrador,
    no en inglés,
    no en señor,
    sino decirle compañero como se dice en español.

Tengo, vamos a ver,
que siendo un negro
nadie me puede detener
a la puerta de un dancing o de un bar.
O bien en la carpeta de un hotel
gritarme que no hay pieza,
una mínima pieza y no una pieza colosal,
una pequeña pieza donde yo pueda descansar.

Tengo, vamos a ver,
que no hay guardia rural
que me agarre y me encierre en un cuartel,
ni me arranque y me arroje de mi tierra
al medio del camino real.
Tengo que como tengo la tierra tengo el mar,
no country,
no jailáif,
no tenis y no yacht,
sino de playa en playa y ola en ola,
gigante azul abierto democrático:
en fin, el mar.

Tengo, vamos a ver,
que ya aprendí a leer,
a contar,
tengo que ya aprendí a escribir
y a pensar
y a reír.
Tengo que ya tengo
donde trabajar
y ganar
lo que me tengo que comer.
Tengo, vamos a ver,
tengo lo que tenía que tener.

                                        (*Tengo,* 1964)

Crecen altas las flores

Si yo no fuera un hombre seguro; si no fuera
un hombre que ya sabe todo lo que le espera

con Lynch en el timón, con Jim Crow en el mando
y por nocturnos mares sangrientos navegando;

si yo no fuera un viejo caimán cuyo pellejo
es cada vez más duro por cada vez más viejo;

si yo no fuera un negro de universal memoria
y un blanco que conoce su pecado y su gloria;

si yo no fuera un chino libre de mandarín
mirando por los ojos de Shanghai y Pekín;

si yo no fuera un indio de arrebatado cobre
que hace ya cuatrocientos años que muere pobre;

si yo no fuera un hombre soviético, de mano
múltiple y conocida como mano de hermano;

si yo no fuera todo lo que ya soy, te digo
que tal vez me pudiera engañar mi enemigo.

Murió McCarthy, dicen. (Yo mismo dije: «Es cierto,
murió McCarthy...») Pero lo cierto es que no ha muerto.

Vive y no esconde el bárbaro sus tenazas de hierro
y el verdugo y la silla, y g-man y el encierro.

Monstruo de dos cabezas bien norteamericano,
una mitad demócrata, otra republicano;

monstruo de dos cabezas, mas ninguna con seso,
no importa que nos hable de alianza y de progreso.

Y tal vez porque habla, pues nadie en nuestra América
(india pálida y virgen, pero que no es histérica),

librado ya del férreo dogal de las Españas
va a creer a los yanquis sus tontas musarañas.

Alianza de Rockefeller con Mr. Ford: Lo creo
y el progreso de entrambos no lo creo, lo veo.

Alianza de la Standard con la United... Pues claro,
así no es el progreso de las dos nada raro.

Alianza del Chase Bank con el World Bank. Compañero
la alianza de dos «banks» es progreso y dinero.

Pero que no me vengan con cuentos de caminos,
pues yo no sólo pienso, sino además opino

en alta voz y soy antes que nada un hombre
a quien gusta llamar las cosas por su nombre.

Y pregunto y respondo y me alzo y exijo,
y sé cuando la mona cargar no quiere al hijo.

Para el yanqui no somos más que escoria barata,
tribus de compra fácil con vidrio y hojalata;

generales imbéciles sin ciencia y sin escuela,
ante el jamón colgado cada uno en duermevela;

compadres argentinos, sátrapas peruanos,
betancures, peraltas, muñoces... Cuadrumanos

a saltos en la selva; gente menuda y floja
que en curare mortífero sus agrias puntas moja.

Pero como tenemos bosques y cafetales,
hierro, carbón, petróleo, cobre, cañaverales

(lo que en dólares quiere decir muchos millones),
no importa que seamos quéchuas o motilones.

Vienen pues a ayudarnos para que progresemos
y en pago de su ayuda nuestra sangre les demos.

Si en Paraguay tumultos contra Washington hay,
que vaya luego Stroessner y ayude al Paraguay.

Que quien gobierno y patria cifró en una botella,
ceda no al pueblo el mando sino a la ruda estrella

del espadón estulto cuya estulticia vende
el hogar a un extraño, y encarcela y ofende.

Que un macaco las nalgas ponga sobre el asiento
de Bolívar y ayude con terror y tormento

a que no rompa yugo ni sacuda tutela
el alto guerrillero que ruge en Venezuela.

Cada día en Colombia los soldados apuntan
contra los campesinos y obreros que se juntan.

Ayuda para el cobre de Chile es lo primero.
(El cobre de la «mining», no el cobre del minero.)

En la montaña pura suena triste la quena.
Habla con duras sílabas de estaño cuando suena.

En Brasil, hacia el lado nordeste de su angustia,
sangre y sudor revueltos riegan la tierra mustia

donde gringos de kepis se ayudan cada día...
Dígalo usted, Recife. ¿No es la verdad, Bahía?

Centroamérica es una gran finca que progresa.
Va el plátano en aumento, crece el café y no cesa.

(A veces silba el látigo, se oye una bofetada,
desplómase un peón... En fin, eso no es nada.)

Ayudador deglute su inglés y se pasea
orondo el sometido criado de vil librea

que en Puerto Rico manda, es decir, obedece,
mientras la vasta frente de Albizu resplandece.

Junto al barroso Plata Buenos Aires rutila,
pero le empaña el brillo la sombra del gorila.

de venenosa lengua y ojos de fija hiel,
a cuya voz se aprontan la cárcel y el cuartel.

Adelante, Jim Crow; no te detengas; lanza
tu grito de victoria. Un ¡hurra! por la Alianza.

Lynch, adelante, corre, busca tus foetes. Eso,
eso es lo que nos urge... ¡Hurra por el Progreso!

Así de día en día (aliados progresando
bajo la voz de Washington, que es una voz de mando),

hacer de nuestras tierras el naziparaíso:
Ni un indio, ni un mal blanco, ni un negro, ni un mestizo;

y alcanzar la superba cumbre de la cultura
donde el genio mecánico de una gran raza pura

nos muestra la profunda técnica que proclama
en Jacksonville, Arkansas, Mississippi, Alabama,

el Sur expeditivo cuyos torpes problemas
arregla con azotes, con perros y con quemas.

Sólo que en nuestra América crecen altas las flores.
Engarza el pueblo y pule sus más preciadas gemas.
Con vengativas furias truenan los ruiseñores.
De las guerrillas parten bazukas y poemas.

(Tengo, 1964)

Frente al Oxford

Tú, que a mi patria llegas, amigo, y me preguntas
por qué desde esta roca me vuelvo airado y miro
allá donde las líneas de mar y cielo juntas
están, como en un beso de zafiro y zafiro,

ven a mi lado y mira lo que yo estoy mirando.
¿No ves aquella larga bestia de gris acero,
mojándose en mis aguas, mis tierras vigilando
desde que nace el día hasta su ardor postrero?

Ése es Johnson. Me roba, quiere robarme digo
mi libertad y sueña con herirme de muerte,
y que herido de muerte no tenga yo un amigo,
y que ni un solo amigo me brinde el brazo fuerte.

Ése es Lynch. Con su látigo que desde el Sur esgrime
marcarme el rostro quiere y uncirme al bajo yugo,
y ver si como al negro feroz verdugo oprime
feroz me rompe el cuello la mano de un verdugo.

Ése es Walker. Pirata con su pata de palo
y su parche en un ojo. Ése es Walker, el cojo,
el cobarde, el sediento; ése es Walker, el malo,
con su pata de palo, con su parche en un ojo.

Ése es Truman. Danubios de sangre lleva encima.
Busca los cementerios su ambular funerario.
Llenó de verde pus las venas de Hiroshima.
No encuentra una caverna de paz el cavernario.

Es McCarthy rodeado de húmedos policías.
Alcapones servidos de macartis violentos.
Macartis y alcapones sin noches y sin días.
Jugadores de vidas fijos en sus asientos.

Son los sucios marines borrachos que caminan
con zapatos de estiércol sobre bestiales rutas

y en la sagrada frente de los héroes orinan
y ven en nuestras hijas nocturnas prostitutas.

Es la uña banquera del dólar doloroso,
muerte-papel-moneda de los cañaverales;
contra el obrero puro de rostro tempestuoso
el terror amarillo de los guardias rurales.

Es el embajador en camisa que ordena
con el garrote en alto la rendición sumisa,
y el yes y el very good y el okei... La cadena
que sofoca el resuello y estrangula la risa.

Es la cerrada puerta sin aldaba y sin gozne.
Es la libre manera de vivir amarrado.
Libertad, amasijo de cemento y de bronce:
Un muñeco de bronce sobre cemento armado.

Es el Oxford. Su estómago hiede como el de un perro.
Su digestión es densa, pues digiere carroña.
Los ojos con que mira tienen niñas de hierro.
Su aliento emponzoñado la atmósfera emponzoña.

Es el Oxford. Parado se le ve noche y día,
presto sobre mis aguas al manotazo rudo,
como si Cuba fuera una tierra vacía
y mi fusil enhiesto la garganta de un mudo.

Ya sabes, pues, ahora, ¡oh amigo que preguntas!,
por qué desde esta roca me vuelvo airado y miro
allá donde las líneas de mar y cielo juntas
se ven, como en un beso de zafiro y zafiro.

(Tengo, 1964)

Allá lejos...

Cuando yo era muchacho
(hace, ponga el lector, cincuenta años),
había gentes grandes e ingenuas
que se asustaban con una tángana callejera
o una bulla de tragos
en un bar. Eran las que exclamaban:
—¡Dios mío, qué dirán los americanos!
Para algunos
ser yanqui, en aquella época,
era como ser casi sagrado:
La Enmienda Platt, la intervención
armada, los acorazados.
Entonces no era presumible
lo que es hoy pan cotidiano:
El secuestro de un coronel
gringo al modo venezolano;
o el de cuatro agentes provocadores,
como en Bolivia hicieron nuestros hermanos;
ni los definitivos barbudos de la Sierra, claro.

Hace cincuenta años,
nada menos que en la primera plana de los diarios
aparecían las últimas noticias del béisbol
venidas de Nueva York.
¡Qué bueno! ¡El Cincinnati le ganó al Pittsburg,
y el San Luis al Detroit!
(Compre la pelota marca «Reich», que es la mejor.)
Johnson, el boxeador,
era nuestro modelo de campeón.
Para los niños, la Castoria de Fletcher
constituía el remedio indicado
en los casos (rebeldes)
de enteritis o indigestión.
Un periódico
entre sus adelantos incluyó
una página diaria, en inglés, para los yanquis:

«A cuban-american paper
with the news of the world.»

Nada como los zapatos Walk-Over
y las píldoras del Dr. Ross.

El jugo de piña criolla
no fue más
el de ananás:
La Fruit Juice Company
dijo que era «huelsencamp».

Viajábamos por la Munson Line hasta Mobila,
por la Southern Pacific hasta Nueva Orleans,
por la Ward Line hasta Nueva York.

Había Nick Carter y Buffalo Bill.
Había el recuerdo inmediato grasiento esférico de Magoon,
gángster obeso y gobernador,
entre ladrones y ladrones, el Ladrón.
Había el American Club.
Había el compuesto vegetal de Lidia E. Pinkham.
Había el Miramar Garden
(con lo fácil que es jardín en español).
Había la Cuban Company para viajar en tren.
Había la Cuban Telephone.
Había un tremendo embajador.
Y sobre todo, ¡cuidado,
que van a venir los americanos!
(Otras gentes que no eran tan ingenuas
solían decir:
¡Anja! Conque ¿van a venir,
no están aquí?)

De todos modos,
ellos sí que eran grandes,
fuertes,
honestos a más no pedir.
La nata y la flor.

Ellos eran nuestro espejo
para que las elecciones fueran rápidas y sin discusión;
para que las casas tuvieran siempre muchos pisos;
para que los presidentes cumplieran con su obligación;
para que fumáramos cigarrillos rubios;
para que mascáramos chuingón;
para que los blancos no se mezclaran con los negros;
para que usáramos pipa en forma de interrogación;
para que los funcionarios fueran enérgicos e infalibles;
para que no irrumpiera la revolución;
para que pudiéramos halar la cadena del water-closet
de un solo enérgico tirón.

Pero ocurrió
que un día nos vimos como los niños cuando se hacen homb
y se enteran de que aquel honorable tío que los sentaba en
    rodillas
estuvo en presidio por falsificador.
Un día supimos
lo peor.

                    Cómo y por qué
mataron a Lincoln en su palco mortuorio.
                    Cómo y por qué
los bandidos allá son luego senadores.
                    Cómo y por qué
hay muchos policías que no están en prisión.
                    Cómo y por qué
hay siempre lágrimas en la piedra de todos los rascacielos.
                    Cómo y por qué
Tejas de un solo hachazo fue desgarrada y conducida.
                    Cómo y por qué
no son ya de México la viña ni el pomar de California.
                    Cómo y por qué
los infantes de marina mataron a los infantes de Veracruz.
                    Cómo y por qué
vio Dessalines arriada su bandera en todos los mástiles de H
                    Cómo y por qué
nuestro gran general Sandino fue traicionado y asesinado.

                    Cómo y por qué
nos llenaron el azúcar de estiércol.
                    Cómo y por qué
cegaron su propio pueblo y le arrancaron la lengua.
                    Cómo y por qué
no es fácil que éste nos vea y divulgue nuestra simple verdad.
                    Cómo y por qué.

Venimos de allá lejos, de allá lejos.
Un día supimos todo esto.
Nuestra memoria fija sus recuerdos.
Hemos crecido, simplemente.
Hemos crecido, pero no olvidamos.

                                        (*Tengo,* 1964)

Unión Soviética

Jamás he visto un trust soviético en mi patria.
Ni un banco.
Ni tampoco un ten cents.
Ni un central.
Ni una estación naval.
Ni un tren.
Nunca jamás hallé
un campo de bananas
donde al pasar leyera
«Máslov and Company, S. en C.
Plátanos al por mayor. Oficinas en Cuba:
Maceo esquina con No-sé-qué».
Ni un cable así:
Moscú, noviembre 15. (UPI)
Ayer los crudos se mantuvieron firmes.
                    Ni de allá
la insinuación más fina, más ligera
de inmiscuir aquella nieve tan conocida
en nuestra conocida primavera.

Viajé en ferrocarril.
(Vuelvo a hablar de la URSS.)
Y nunca vi
Para blancos — Para negros.
Ni en el bus,
ni en el café,
Para blancos — Para negros.
Ni en el bar,
ni en el restaurant,
Para blancos — Para negros.
Ni en el hotel,
ni en el avión,
Para blancos — Para negros.
Ni en el amor,
ni en el plantel,
Para blancos — Para negros.
Ni de allá gente que aquí llegara
y mano cordial no nos tendiera
sin preguntar si era la piel oscura o clara.

En nuestro mar nunca encontré
piratas de Moscú.
(Hable, Caribe, usted.)
Ni de Moscú tampoco en mis claras bahías
ese ojo-radar superatento
las noches y los días
queriendo adivinar mi pensamiento.
Ni bloqueos.
Ni marines.
Ni lanchas para infiltrar espías.
¿Barcos soviéticos? Muy bien.
Son petroleros, mire usted.
Son pescadores, sí, señor.
Otros llevan azúcar, traen café
junto a fragantes ramos de esperanzas en flor.
Yo, poeta, lo digo:
Nunca de allá nos vino nada
sin que tuviera el suave gusto del pan amigo,
el sabor generoso de la voz camarada.

Unión Soviética, cuando del Norte funeral
un áspero viento descendió;
cuando el verdugo dio
una vuelta más al dogal;
cuando empezó su trabajo el gran torturador impasible
y nos quemó las plantas de los pies
para que dijéramos: «Washington, está bien,
elévanos hasta ti»;
para que dijéramos lo que no íbamos a decir,
salió tu voz sostenedora, tu gran voz
de la fábrica y del koljós
y de la escuela y del taller,
y gritó con la nuestra: ¡No!
Juntos así marchamos libres los dos,
frente a un mismo enemigo que habremos de vencer los dos.

Toma, pues, Unión Soviética, te lo dejo, toma mi oscuro
corazón de par en par abierto;
ya sabemos por ti cuál es el camino seguro,
después de tanto mar ya sabemos por ti dónde está el puerto.

(Tengo, 1964)

Marines U.S.A.

Yanquipiratas del Mar Caribe,
bestias de uña y alquitrán,
como en los tiempos de Drake y Morgan
negro estandarte hacen flotar.

Pájaros grises los acompañan
cuando se lanzan a la mar;
como en los tiempos de Drake y Morgan
van con el hierro de matar.

Llevan sus barcos de desembarco
para poder desembarcar;

como en los tiempos de Drake y Morgan
van con la mano de robar.

Tabaco y goma, cuero y azúcar
y el fusil para disparar;
como en los tiempos de Drake y Morgan
«oro» es su empresa —y nada más.

Pero un gran viento sopla violento,
sopla un gran viento sin parar;
como en los tiempos de Drake y Morgan
la muerte es quien los va a esperar.

¡Atrás! —les grita la costa brava.
¡Atrás! —vocifera el palmar.
Como en los tiempos de Drake y Morgan
el sol no cesa de gritar.

Cuba levanta su estrella fina,
llama en su cuerno de llamar;
como en los tiempos de Drake y Morgan
alto en su sangre el pueblo va.

Alto en su sangre, parado en ella,
fija estatura natural.
¡Atrás, bandidos de Drake y Morgan,
y Lynch y Sur y Ku Klux Klan!

Muera la muerte, viva la vida,
la tierra es ancha y hondo el mar...
Piratas sepan de Drake y Morgan
que en pie y alerto el odio está.

(*Tengo*, 1964)

Cualquier tiempo pasado fue peor

¡Qué de cosas lejanas
aún tan cerca,
mas ya definitiva-
mente muertas!

La autoridad de voz abrupta
que cobraba un diezmo al jugador
y otro diezmo a la prostituta.

El senador (tan importante).
El representante.
El concejal.
El sargento de la Rural.
El sortijón con un diamante.

El cabaret que nunca se abrió
para la gente de color.
(Éste es un club ¿comprende?
¡Qué lástima! Si no...)

El gran hotel
sólo para la gente bien.

La crónica de sociedad
con el retrato de la niña
cuando llegó a la pubertad.

En los bancos,
sólo empleados blancos.
(Había excepciones: Alguna vez
el que barría y el ujier.)

En el campo y en la ciudad,
el desalojo y el desahucio.
El juez de acuerdo con el amo.

Un club cubano de beisbol:
Primera base: Charles Little.

Segunda base: Joe Cobb.
Catcher: Samuel Benton.
Tercera base: Bobby Hog.
Short stop: James Wintergarden.
Pitcher: William Bot.
Files: Wilson, Baker, Panther.
Sí, señor.
Y menos mal
el cargabates: Juan Guzmán.

En los diarios:
PALACIO. El Embajador
Donkey dejó al Presidente
una Nota por
el incidente de Mr. Long
con Felo, el estibador.
(Mr. Long sigue mejor.)

Los amigos de Chicho Chan
le ofrecerán un almuerzo
mañana, en La Tropical.

La vidriera,
el apuntador,
y lo peor,
sobre la acera
la enferma flor,
el triste amor
de la fletera.

En fin, de noche y de día,
¡la policía, la policía, la policía!
De noche y de día,
¡la policía, la policía, la policía!
De noche y de día,
la policía.

¿No es cierto que hay muchas cosas
lejanas que aún se ven cerca,

pero que ya están definitiva-
mente muertas?

(*Tengo*, 1964)

Canta el sinsonte en el Turquino

—¡Pasajeros en tránsito, cambio de avión para soñar!

—Oui, monsieur; sí señor.
Nacido en Cuba, lejos, junto a un palmar.
Tránsito, sí. Me voy.
¿Azúcar? Sí, señor.
Azúcar medio a medio del mar.
—¿En el mar? ¿Un mar de azúcar, pues?
—Un mar.
—¿Tabaco?
—Sí, señor.
Humo medio a medio del mar.
Y calor.
—¿Baila la rumba usted?
—No, señor;
yo no la sé bailar.
—¿Inglés, no habla el inglés?
—No, monsieur; no, señor,
nunca lo pude hablar.

—¡Pasajeros en tránsito, cambio de avión para soñar!

Llanto después. Dolor.
Después la vida y su pasar.
Después la sangre y su fulgor.
Y aquí estoy.
Ya es el mañana hoy.

Mr. Wood, Mr. Taft,
adiós.
Mr. Magoon, adiós.
Mr. Lynch, adiós.

Mr. Crowder, adiós.
Mr. Nixon, adiós.
Mr. Night, Mr. Shadow,
¡adiós!
       Podéis marcharos, animal
muchedumbre, que nunca os vuelva a ver.
Es temprano; por eso tengo que trabajar.
Es ya tarde; por eso comienza a amanecer.
Va entre piedras el río...
             —Buenos días, Fidel.
Buenos días, bandera; buenos días, escudo.
Palma, enterrada flecha, buenos días.
Buenos días, perfil de medalla, violento barbudo
de bronce, vengativo machete en la diestra.
Buenos días, piedra dura, fija ola de la Sierra Maestra.
Buenos días, mis manos, mi cuchara, mi sopa,
mi taller y mi casa y mi sueño;
buenos días, mi arroz, mi maíz, mis zapatos, mi ropa;
buenos días, mi campo y mi libro y mi sol y mi sangre
    sin dueño.

Buenos días, mi patria de domingo vestida;
buenos días, señor y señora;
buenos días, montuno en el monte naciendo a la vida;
buenos días, muchacho en la calle cantando y ardiendo
    en la aurora.
Obrero en armas, buenos días.
Buenos días, fusil.
Buenos días, tractor.
Azúcar, buenos días.
Poetas, buenos días.
Desfiles, buenos días.
Consignas, buenos días.
Buenos días, altas muchachas como castas cañas.
Canciones, estandartes, buenos días.
Buenos días, oh tierra de mis venas,
apretada mazorca de puños, cascabel
de victoria...

El campo huele a lluvia
reciente. Una cabeza negra y una cabeza rubia
juntas van por el mismo camino,
coronadas por un mismo fraterno laurel.
El aire es verde. Canta el sinsonte en el Turquino...
— Buenos días, Fidel.

(*Tengo*, 1964)

Brasil — Copacabana

Copacabana.
Bajo el sol brasileño,
es como un blanco sueño
la mañana.
        Ingleses.
        Argentinos.
        Franceses.
        Tunecinos.
        Yanquis (siempre vecinos
        del bar...).
¿Y esa hembra dorada,
que está en la arena echada,
espera acaso un golpe masculino del mar?

Telón

Noche. Samba. Dancings. Whisky. Mar negro.
Mujeres que se deslizan
como sombras en un espejo.
Esto es
una coctelera endiablada,
en la que un barman de pesadilla
bate hierro y cemento,
agua de mar con hiel.
Y sangre, que hace el papel
de alcohol en este coctel.
¡Oh el concéntrico encanto

de no pensar en el llanto!
(¡Allá los que no piensen en él!)

Oigo casas, se oyen las casas
en un estruendo de metal
disparado hacia el firmamento.
¡Son casas en pecado mortal!
¿Y en los morros, qué tal?
Hombre,
pues en los morros,
como siempre,
muy mal.

Mientras de piso en piso
sube, se repite la piedra
y adustos bronces condecoran
las ambiciosas galerías,
poseídas
como sonrosadas queridas,
yo sueño
bajo el sol brasileño.

¿Dónde lo vi?
¡Dios mío, si es un sueño que vi
en Moscú
y en Bulgaria
y en Bratislava
y en Praga
y en Rumania
y en Polonia
y en Budapest!
Lo vi en La Habana.
Lo vi, no lo soñé.

Palacios de antiguo mármol
para el que vivió sin zapatos.
Castillos donde el obrero reposa
sentado a la diestra de su obra.
El cigarral de la duquesa
para la hija de Juan, que está enferma.

La montaña y la playa y el vichy y el caviar
para los que antes no tenían donde estar.

¿Y aquí en Copacabana, aquí?
También lo vi.
Pues aunque todavía
es un sueño,
siento venir el día,
ha de llegar el día,
se oye rugir el día
con el viento nordeste de Pernambuco y de Bahía,
un día de sangre y pólvora bajo el sol brasileño.

(Tengo, 1964)

A Chile

Me iré, me voy, me fui... Soy ala y rueda.
Con resplandor de perseguido cobre,
Chile, tu vida en mí brillando queda.

Abierto el corazón, carta sin sobre,
en público te llamo tierra mía.
Pobre soy en tus pobres, roto y pobre.

Me llevo tu severa geografía
de paloma y volcán, de seda y fierro,
nieve llameante y llamarada fría.

Llevo el temblor, la lluvia, el fino cerro,
el viento en Magallanes, su ladrido
lastimero y austral de largo perro.

El copihue en su púrpura encendido
me dio una aurora familiar, abierta
del blanco día en el floreal vestido.

Y del vino pasé por la ancha puerta
hacia terrestres vírgenes dormidas.
Quemé a su lado mi pasión despierta.

En tu cuerpo conté golpes y heridas;
te vi caer, mas levantarte luego
ante un coro de hienas sorprendidas,

en su noche temblando con tu fuego;
y el mar te oí de voces alteradas
como un titán enardecido y ciego.

Junto a las oficinas desoladas
del salitre retengo el brillo duro
y de obreros febriles las miradas.

Descendí del carbón al centro oscuro;
en su inconforme piedra vi al minero
y me dio a respirar su gas impuro.

El enemigo tuyo es mi enemigo.
Tu hermano soy, ¡oh Chile!, y tu escudero.
Parto. Me voy. Mas te acompaño y sigo
con Manuel fusilado y guerrillero.

                                        (*Tengo*, 1964)

Responde tú...

Tú, que partiste de Cuba,
responde tú,
¿dónde hallarás verde y verde,
azul y azul,
palma y palma bajo el cielo?
Responde tú.

Tú, que tu lengua olvidaste,
responde tú,

y en lengua extraña masticas
el güel y el yu,
¿cómo vivir puedes mudo?
Responde tú.

Tú, que dejaste la tierra,
responde tú,
donde tu padre reposa
bajo una cruz,
¿dónde dejarás tus huesos?
Responde tú.

Ah desdichado, responde,
responde tú,
¿dónde hallarás verde y verde,
azul y azul,
palma y palma bajo el cielo?
Responde tú.

(*Tengo*, 1964)

Coplas americanas

América malherida,
te quiero andar,
de Argentina a Guatemala,
pasando por Paraguay.

Mi mano al indio en Bolivia
franca tender;
que el Pilcomayo me llevé,
que me traiga el Mamoré.

Por el Sur de espaldas negras
me fuera yo;
las noches alumbraría
con incendios de algodón.

Ah, pueblo de todas partes,
ah pueblo, contigo iré;
pie con pie, que pie con mano,
iremos que pie con pie.

Jamaica en inglés llorando,
Haití en patuá;
en papiamento otras islas,
y todas sin libertad.

De Muñoz en Puerto Rico
quiero saber
por qué dice, siempre dice,
dice siempre, dice: yes.

Santo Domingo, tan santo,
deja tu altar;
tan santo, Santo Domingo,
y vámonos a la mar.

Ah, pueblo de todas partes,
ah, pueblo, contigo iré;
pie con pie, que pie con mano,
iremos que pie con pie.

¡Que muera el generalote
sable mandón!
¡Que viva la primavera
y viva mi corazón!

Ay, mi general Sandino,
vuelve a partir
camino de Las Segovias,
que yo te voy a seguir.

Los barbudos de mi tierra
cantando van
con campesinos y obreros,
y no se separarán.

Ah, pueblo de todas partes,
ah, pueblo, contigo iré;
pie con pie, que pie con mano,
iremos que pie con pie.

Como estamos todos juntos
voy a contar
un cuento que me contaron
y no he podido olvidar.

¡Padre! a Bolívar, ¡oh Padre!
Martí llamó.
Era una noche estrellada.
El viento lo repitió.

Va el viento por nuestra América,
va el viento así,
con Bolívar a caballo,
en su tribuna, Martí.

Ah, pueblo de todas partes,
ah, pueblo, contigo iré;
pie con pie, que pie con mano,
iremos que pie con pie.

Vi una vez a un marinero,
lo vi subir
una alta frente de mármol
y en esa frente escupir.

Un yanqui de la Embajada
vino por él;
cañones lo protegieron,
bajo cañones se fue.

Toda la sangre en el rostro
se me agolpó;
menos mal que le sé el nombre
y por dónde se marchó.

Ah, pueblo de todas partes,
ah, pueblo, contigo iré;
pie con pie, que pie con mano,
iremos que pie con pie.

(*Tengo,* 1964)

Romancero

SON MÁS EN UNA MAZORCA...

Son más en una mazorca
de maíz los prietos granos
que Fidel Castro y sus hombres
cuando del *Granma* bajaron.
El mar revuelto los mira
partir con violento paso,
dura la luz de los rostros
severos, aún no barbados,
mariposas en la frente,
la ciénaga en los zapatos.
La muerte los vigilaba
vestida como soldado,
amarillo el uniforme
y el fusil americano.
Heridos unos cayeron
otros sin vida quedaron,
y los menos, pocos más
que los dedos de las manos,
con esperanza y fatiga
hacia la gloria marcharon.
En los despiertos caminos
voces saludan y cantos,
puños se alzan y amapolas,
soles brillan y disparos.
A la Sierra van primero
por el corazón llevados;

junto a los claros sinsontes,
de pie en el pico más alto,
ya en su cuartel general,
así dice Fidel Castro:
—De esta Sierra bajaremos,
mar de rifles será el llano.

TIERRA DE AZULES MONTAÑAS...

Tierra de azules montañas,
Oriente, y de roncos ríos,
señora provincia grande
de vértigos precipicios,
en cuyo pecho de cobre
con arterias de granito
enciende un bárbaro sol
su medallón amarillo:
Como espumoso torrente
que baja desde el Turquino
entre jagüeyes despiertos
y cafetales dormidos,
así de tu oscura frente,
de turbión a torbellino,
las tropas de Fidel Castro,
capitán generalísimo,
en cien caños amazónicos
abren su fiel abanico.
Como espumoso torrente
de obreros y campesinos,
como espumoso torrente
de estudiantes florecidos,
como espumoso torrente
de bazucas y suspiros,
las tropas de Fidel Castro,
capitán generalísimo,
pasan y con ellas van
por veredas y caminos
voces altas como puños,

puños altos como himnos,
himnos altos como estrellas
duras en el aire frío.

HACIA LA ESCLAVA QUISQUEYA...

Hacia la esclava Quisqueya
vencido Batista parte,
sin otro valor que el miedo
y sin más sostén que el aire.
Una procesión lo escolta
de pequeños generales;
junto al avión grazna un cuervo
y sus alas son de sangre;
en amarga nube fijo
está el odio de las madres;
cierra el pueblo sus angustias
y sus esperanzas abre,
mientras alto y alto vuela
quien tanto logró abajarse,
medallón desmedallado
ya sin más sostén que el aire.
Brillan en calles y plazas,
llenando plazas y calles,
barbas de ébano fluvial
que sobre los pechos caen
y hacen jóvenes abuelos
de los severos infantes.
Ya de San Pedro a Dos Ríos
palmas baten los palmares,
que allá donde el sol se mete
y acá desde donde sale,
lleva Martí su corona
y en puras estrellas arde;
al cinto lleva Maceo
un machete de diamante:
Van juntos, como dos alas
en el viento de la tarde.

ABRIL SUS FLORES ABRÍA...

Abril sus flores abría,
manto azul, corona verde,
rey de serena fragancia
que apenas las hojas mueve,
cuando desde el alto Norte
flota de piratas viene
a herir con fácil cuchillo,
como los traidores hieren,
el gran pecho de Girón
que junto a la mar se extiende.
Pagados están en dólares
y en inglés órdenes tienen
de que en Cuba ni un ensueño,
ni una flor, ni un árbol quede.
Asaltan de noche oscura
para matar y esconderse,
pero el pueblo los achica,
los achica y los envuelve,
los envuelve y los exprime
y los exprime y los tuerce.
Ante las balas que silban
temerosas nalgas vuelven:
En el mar buscan refugio,
mas las olas no los quieren;
sus barcos desmantelados
son ruinas que el agua ofende.
Ansiosos de no morir
muertos están para siempre:
El pueblo les enseñaba
que sólo vive quien muere
con el pecho entre las nubes
y la sangre a la intemperie.

ESTÁ EL BISONTE IMPERIAL...

Está el bisonte imperial
sobre la tierra desnuda
cavando un hoyo de rabia
con su violenta pezuña.
El animal que digiere
cañaverales, y educa
con carbón y estaño y cobre
el vientre glotón, y suda
con sudores de petróleo
sus bárbaras calenturas,
olfatea el aire espeso
y apagar de un golpe busca
el trueno que lo ensordece
y el rayo que lo deslumbra.
Blanca paloma artillada
que en las olas se columpia,
sobre el Caribe nocturno
enciende sus sueños Cuba.
Los milicianos la visten
de pólvora y de ternura
y de hierro y de esperanza
y de granito y de espuma:
Alta va en hombros del pueblo
sonriendo la patria pura.
Mira el bisonte la mar
con mirada de agua sucia;
la pezuña es ya un muñón
y aún cava la tierra dura.
¡Ay, imperio, emperador,
bisonte sin sol ni luna
el hoyo que estás cavando
será el de tu sepultura!

                                        (*Tengo*, 1964)

Lenin

¿Sabes tú que la mano poderosa
que deshizo un imperio, también era
suave como la rosa?
La mano poderosa
¿sabes tú de quién era?

¿Sabes tú que la voz de agua encendida,
terrestre impulso en que se ahogó su dueño,
cantó siempre a la vida?
De esa voz encendida,
¿sabes tú quién fue dueño?
¿Sabes tú que aquel viento que bramaba
como un toro nocturno, también era
onda que acariciaba?
El viento que bramaba
¿sabes tú de quién era?

¿Y sabes tú que el sol de rojo manto,
de duras flechas implacable dueño,
secó Nevas de llanto?
Del sol de rojo manto
¿sabes tú quién fue dueño?

Te hablo de Lenin, tempestad y abrigo.
Lenin siembra contigo,
¡oh campesino de arrugado ceño!
Lenin canta contigo,
¡oh cuello puro sin dogal ni dueño!

¡Oh pueblo que venciste a tu enemigo,
Lenin está contigo,
como un dios familiar simple y risueño,
día a día en la fábrica y el trigo,
uno y diverso universal amigo,
de hierro y lirio, de volcán y sueño!

(Tengo, 1964)

Mella

Lanzó del arco tenso disparada
la roja flecha contra el viejo muro:
Punta de sueño, lengua de futuro
que allí vibrando se quedó clavada.

Sobre la rota piedra penetrada
hincó de su bandera el mástil duro;
aún era noche, el cielo estaba oscuro,
pero ya el viento olía a madrugada.

Partió después con su profundo paso
y una canción que al porvenir advierte,
Mella hacia el mediodía sin ocaso.

Su derribada sangre es vino fuerte:
Alzad, alcemos en el rudo vaso
la sangre victoriosa de su muerte.

                                              (*Tengo,* 1964)

Martí

¡Ah, no penséis que su voz
es un suspiro! Que tiene
manos de sombra, y que es
su mirada lenta gota
lunar temblando de frío
sobre una rosa.

                  Su voz
abre la piedra, y sus manos
parten el hierro. Sus ojos
llegan ardiendo a los bosques
nocturnos; los negros bosques.
Tocadle: Veréis que os quema.
Dadle la mano: Veréis

su mano abierta en que cabe
Cuba como un encendido
tomeguín de alas seguras
en la tormenta. Miradlo:
Veréis que su luz os ciega.
Pero seguidlo en la noche:
¡Oh, por qué claros caminos
su luz en la noche os lleva!

(Tengo, 1964)

La sangre numerosa

> A Eduardo García, miliciano que escribió
> con su sangre, al morir ametrallado por la
> aviación yanqui en abril de 1961, el nom-
> bre de Fidel.

Cuando con sangre escribe
FIDEL este soldado que por la Patria muere,
no digáis miserere:
Esa sangre es el símbolo de la Patria que vive.

Cuando su voz en pena
lengua para expresarse parece que no halla,
no digáis que se calla,
pues en la pura lengua de la Patria resuena.

Cuando su cuerpo baja
exánime a la tierra que lo cubre ambiciosa,
no digáis que reposa,
pues por la Patria en pie resplandece y trabaja.

Ya nadie habrá que pueda
parar su corazón unido y repartido.
No digáis que se ha ido:
Su sangre numerosa junto a la Patria queda.

(Tengo, 1964)

Camilo

I

Jinete en el aire fino,
¿dónde estará, dónde cayó
el comandante Camilo,
que no lo sé yo?
Entre la tierra y el cielo,
¿a dónde fue donde voló
el comandante Cienfuegos,
que no lo sé yo?

II

Sin cruz vino la muerte,
sin sepultura, nada.
Un rayo apenas de su luz inerte,
su vacía, su redonda mirada.

(Lentas guitarras de ardor marítimo
llegan llorando a llorar conmigo.
Llegan violetas color obispo:
Morado luto mortuorio fijo.
Raudos machetes de amargo filo
y girasoles luto amarillo.)

III

Duerme, descansa en paz —dice la mansa,
costumbre de las flores, la que olvida
que un muerto nunca descansa
cuando es un muerto lleno de vida.
Ahí viene, avanza el río
de su barba serena.
Suena su voz, su permanente voz resuena,
arde en la patria pura un gran fulgor de estío.

Se oye ¡Partir!, que ordena
y partimos. ¡Avanzar!, y avanzamos.
Todos lo mientan, dicen:
—Puño de piedra, resplandor de paloma,
el aletear del corazón te damos;
oh joven padre, toma
nuestra violenta sangre en peso: ¡Vamos!

(Tengo, 1964)

A Conrado Benítez

Maestro, amigo puro,
verde joven de rostro detenido,
quien te mató el presente
¿cómo matar creyó que iba el futuro?
Fijas están las rosas de tu frente,
tu sangre es más profunda que el olvido.
En la sagrada tumba
donde al viento que pasa
los lirios dan su aroma,
mariposas de sueño hallan su casa;
y en la alta serranía
en que se alzó, resplandeció tu escuela,
se alza resplandeciente el blanco día
y una paloma entre fulgores vuela.

(Tengo, 1964)

Pascuas sangrientas de 1956

Luna fija y redonda de níquel taciturno,
tú, sempiterna cómplice de la novia que espera,
medallón suspendido sobre el pecho nocturno,
¿viste llegar la Muerte con sus ojos de cera?

Luna grande del trópico, que estás entre las cañas,
tú, que de noche vives, Luna, tú que no duermes
y rompes tus espejos en las finas montañas,
¿pudiste oír el grito de los pechos inermes,

ver la corbata ruda de correa o de soga
que los ojos agranda y los cuellos ahoga?
Luna grande del trópico, alto sobre el palmar,

tú que despierta estabas aquella noche triste,
Luna fija y redonda, tú que todo lo viste,
no te puedes callar, ¡no te puedes callar!

(Tengo, 1964)

Che Guevara

Como si San Martín la mano pura
a Martí familiar tendido hubiera,
como si el Plata vegetal viniera
con el Cauto a juntar agua y ternura,

así Guevara, el gaucho de voz dura,
brindó a Fidel su sangre guerrillera,
y su ancha mano fue más compañera
cuando fue nuestra noche más oscura.

Huyó la muerte. De su sombra impura,
del puñal, del veneno, de la fiera,
sólo el recuerdo bárbaro perdura.

Hecha de dos un alma brilla entera,
como si San Martín la mano pura
a Martí familiar tendido hubiera.

(Tengo, 1964)

El jarrón

En el candor de mi niñez lejana,
entre el libro y el juego,
China era un gran jarro de porcelana
amarilla con un dragón de fuego.

También la familiar y fugitiva
hora de la hortaliza y del tren de lavado,
y Andrés, el cantonés de gramática esquiva,
verde y recién fundado.

Luego fue Sun Yat-sen en la múltiple foto,
con su sueño romántico y roto.
Y por fin noche y día,
la gran marcha tenaz y sombría,
y por fin la victoria y por fin la mañana
y por fin lo que yo no sabía:
Toda la sangre que cabía
en un jarrón de porcelana.

                                              (*Tengo,* 1964)

Se acabó

SON

Te lo prometió Martí
y Fidel te lo cumplió;
ay, Cuba, ya se acabó,
se acabó por siempre aquí,
se acabó,
ay, Cuba, que sí, que sí,
se acabó,
el cuero de manatí
con que el yanqui te pegó.
Se acabó.
Te lo prometió Martí

y Fidel te lo cumplió.
Se acabó.

Garra de los garroteros,
uñas de yanquis ladrones
de ingenios azucareros:
¡A devolver los millones,
que son para los obreros!
La nube en rayo bajó,
ay, Cuba, que yo lo vi;
el águila se espantó,
yo lo vi;
la coyunda se rompió,
yo lo vi;
el pueblo canta, cantó,
cantando está el pueblo así:
—Vino Fidel y cumplió
lo que prometió Martí.
Se acabó.

¡Ay, qué linda mi bandera,
mi banderita cubana,
sin que la manden de afuera,
ni venga un rufián cualquiera
a pisotearla en La Habana!
Se acabó.
Yo lo vi.
Te lo prometió Martí
y Fidel te lo cumplió.
Se acabó.

(Tengo, 1964)

El *hambre*

Ésta es el hambre. Un animal
todo colmillo y ojo.
No se harta en una mesa.

Nadie lo engaña ni distrae.
No se contenta
con un almuerzo o una cena.
Anuncia siempre sangre.
Ruge como león, aprieta como boa,
piensa como persona.

El ejemplar que aquí se ofrece
fue cazado en la India (suburbios de Bombay),
pero existe en estado más o menos salvaje
en otras muchas partes.

No acercarse.

(*El gran zoo*, 1967)

Las águilas

En esta parte están las águilas.
La caudal.
La imperial.
El águila en su nopal.
La bicéfala (*fenómeno*)
en una jaula personal.
Las condecoratrices
arrancadas del pecho de los condenados
en los fusilamientos.
La pecuniaria, doble, de oro $ 20 (*veinte dólares*).
Las heráldicas.
La prusiana, de negro siempre como una viuda fiel.
La que voló sesenta años sobre el Maine, en La Habana.
La yanqui, traída de Viet Nam.
Las napoleónicas y las romanas.
La celestial,
en cuyo pecho resplandece Altaír.
En fin,
el águila
de la leche condenada marca «El Águila».

(*Un ejemplar*
realmente original.)

                                        (*El gran zoo,* 1967)

Bomba atómica

Ésta es la bomba. Mírenla.
Reposa dormitando. Por favor
no provocarla
con bastones, varillas, palos, pinchos,
piedras. Prohibido
arrojarle alimentos.
¡Cuidado con las manos,
los ojos!
        (*La Dirección*
lo ha dicho y advertido
pero nadie hace caso,
ni siquiera el Ministro.

Es un peligro bárbaro
este animal aquí.)

                                        (*El gran zoo,* 1967)

La herencia

Al fin te marchas, claro. Muy bien. Eso no es nada.
Si acaso, el momentáneo desempleo,
la granja;
tal vez, como perro temeroso,
los ojos bajos al pasar
frente a aquel compañero que te creía otra cosa.
Y de repente, Miami. Como si dijéramos La Habana
que buscabas,
tu Habana fácil y despreocupada.
(Políticos baratos ¡que costaban tan caro!

Burdeles, juego, yanquis, mariguana.)
Magnífico.
Un salto atrás perfecto.
Eres un gran prospecto
olímpico.

Sin embargo, no sé qué penetrante,
qué desasosegada
lástima me aprieta el corazón, pensando
en tus remotos descendientes,
dormidos en su gran noche previa
su gran noche nonata.
Porque algún día imprevisible,
aún no establecido, pero cierto,
van a verse acosados
por la pregunta necesaria.
Tal vez en la clase de historia
algún camarada.
Acaso en una fábrica. La novia
pudiera ser. En cualquier sitio, en fin,
donde se hable de este hoy
que será para entonces un portentoso ayer.
Sabrán lo que es la herencia que les dejas,
esta especie de sífilis
que ahora testas con tu fuga,
algo así como aquella otra sífilis (verdadera)
que denuncia tu labio leporino,
y que ganó tu abuelo,
contrabandista, marinero,
bandido,
cierta noche de escándalo
bajo la luna de los caribes,
borracho con una horrenda puta
en Cartagena o Panamá.

Claro que sé muy bien
lo que hay que responder en estos casos.
(Que los hijos no pagan la cuenta de los padres,
que los padres, etcétera.)

De acuerdo,
mas con todo, es distinto.
Uno se siente más tranquilo
con Maceo allá arriba,
ardiendo en el gran sol de nuestra sangre,
que con Weyler, vertiéndola a sablazos.
Cuestión de suerte, me dirás. ¿No es eso?
Quizás, te diré yo. Pero así es.

(La rueda dentada, 1972)

Burgueses

No me dan pena los burgueses
vencidos. Y cuando siento que van a darme pena,
aprieto bien los dientes y cierro bien los ojos.
Pienso en mis largos días sin zapatos ni rosas.
Pienso en mis largos días sin sombrero ni nubes.
Pienso en mis largos días sin camisa ni sueños.
Pienso en mis largos días con mi piel prohibida.
Pienso en mis largos días.

—No pase, por favor. Esto es un club.
—La nómina está llena.
—No hay pieza en el hotel.
—El señor ha salido.
—Se busca una muchacha.
—Fraude en las elecciones.
—Gran baile para ciegos.
—Cayó el Premio Mayor en Santa Clara.
—Tómbola para huérfanos.
—El caballero está en París.
—La señora marquesa no recibe.

En fin, que todo lo recuerdo.
Y como todo lo recuerdo,
¿qué carajo me pide usted que haga?
Pero además, pregúnteles.

Estoy seguro
de que también recuerdan ellos.

(La rueda dentada, 1972)

París

El inocente indígena,
el decorado artista provincial
recién París, recién
Barrio Latino y tantas cosas
como la muchachita rubia,
el vino y la miseria,
está ni alumno ni maestro.

Pinta días en rosa.
Con el cincel desbasta (eso piensa) el futuro.
Con la pluma bordea imitaciones.
Discute a gritos.
Discute a gritos de alba en alba
junto al zinc del bistrot,
de Modigliani y de Picasso,
de Verlaine, de Rimbaud.

Y América esperando.

(La rueda dentada, 1972)

Papel de tapizar

La señora cajera me lo dijo:
Salga usted de sus dólares.
En todo caso, compre
lingotes de oro. Acciones
del Transvaal (las minas de diamante).
Desembuche, defeque
todos sus travels.

Dentro de pocos meses
verá usted los sangrientos
certificados de papel
hechos papel para forrar paredes.
Papel vuelto papel.

Es lo que dice el cable.
Es lo que vociferan susurrando
los pasajeros de primera
en puertos y aeropuertos;
lo que las gentes cuentan con pavor,
como si huyeran
de la caída de un gobierno
y los incendios y motines
que suelen venir luego.

Está bien. Si lo dijo
la señora cajera, será cierto.
De modo pues que cuando
el gran balón estalle,
cuando la cosa llegue
(fantástico si fuera en estas Pascuas)
podré tapar alegremente
con retratos mil dólares y Cleveland
repetido mil dólares mil dólares
un lienzo desconchado y melancólico que hay
en mi sombrío water closet;
con Hamilton diez dólares
y Hamilton y Hamilton
esconder cocodrilos, peces, dinosaurios,
toda una fauna cuaternaria
que ha dibujado la humedad
en el panel izquierdo de mi estudio;
el bueno de Abraham barbas de cinco dólares
me ayudará en la biblioteca (empapelarla);
la cabeza quinientos dólares McKinley,
ladrón de Filipinas y Hawai,
veremos cómo irá (puede que en la cocina);
y dondequiera

que haya lugar, Washington el Jorge se ha de ver
serio, casi dramático, como cuadra al patrón.

Nunca siendo tan pobre
habré gastado tanto.
Más de un millón de dólares.
Qué emoción.

(*La rueda dentada,* 1972)

Problemas del subdesarrollo

Monsieur Dupont te llama inculto,
porque ignoras cuál era el nieto
preferido de Víctor Hugo.

Herr Müller se ha puesto a gritar,
porque no sabes el día
(exacto) en que murió Bismarck.

Tu amigo Mr. Smith,
inglés o yanqui, yo no lo sé,
se subleva cuando escribes *shell.*
(Parece que ahorras una ele,
y que además pronuncias *chel.*)

Bueno ¿y qué?
Cuando te toque a ti,
mándales decir cacarajícara,
y que dónde está el Aconcagua,
y que quién era Sucre,
y que en qué lugar de este planeta
murió Martí.

Un favor:
Que te hablen siempre en español.

(*La rueda dentada,* 1972)

Poetas

Hay el poeta que escribe al rey o al duque,
y se dice su criado. *Señor*
(susurra levemente) y se prosterna
y le besa los pies.
Canta junto a la mesa de su amo
cubierta de manjares,
pero sabe que nunca podrá sentarse a ella.

Es el poeta feudal.
En algunos lugares viste anacrónicamente de frac.

Hay el poeta a quien la poesía
sirve para abogar por la injusticia.
Avanza en un auto serenamente móvil.
Puede sentar en la silla eléctrica
a sus amigos inocentes.
Es el poeta del gran signo $ sangriento
que cree que vamos a creerle que él se cree demócrata
porque va a todos los sitios en que se dice: *Traje de calle*

Hay el poeta hecho al áspero tumulto ciudadano,
a la discusión en el sindicato,
al paso de las guerrillas,
y que habla el idioma simple y compañero
del que trabaja a su lado.
Como en la fábula clásica
es el dueño del fuego y la esperanza.
Sabe de palabras terribles, como la palabra
                    NAPALM
y ha visto las espaldas del pueblo lamidas por esas
lenguas del infierno; y la palabra
                    GUERRA
llena de estruendo y humo,
y la palabra
                    NIXON
que hiede como el agujero de una cloaca. Pero conoce
también palabras como

VIET NAM
PERÚ
CUBA
CHILE
BOLIVIA:
Esta última empapada en sangre fresca de estudiantes y
mineros; y por fin la palabra
VENGANZA
que traducida a la lengua general de nuestros pueblos
quiere decir
VICTORIA

(*La rueda dentada*, 1972)

Pequeña oda a Viet Nam

Viet Nam, miro tu rostro, y odio en tu rostro veo.
Rabia en tu rostro, y fuego. Miro tus manos: Uñas
largas veo en tus manos de hierro, y el fusil
con el ojo mecánico recto en tu grito puro.
Miro tus pies. En marcha veo tus pies y firmes
sobre el camino en armas de piedra y piedra. Miro
tu dura frente y puedo penetrar su secreto.

¡Muerte al que invada!, dice tu pensamiento. Dice
la patria es alta Dice está en el viento Dice
y en la montaña Dice está en los bosques Dice
está en los héroes Dice está en la espuma Dice
está en el plomo Dice está en el sueño Dice
en el despierto sueño la patria grande y dulce.

El suelto guerrillero apunta y tira y mata.
Al alto avión abajan fijos cañones balas.
Corta el aire sangriento veloz machete filo.
Miro a lo lejos, miro. ¡Mira a lo lejos, mira!
Va la victoria enhiesta en bayonetas últimas.
En los finales mástiles van gritos, mueras, hurras,
y Nunca Más y cantos. Himnos y Nunca Más,

y fuera y Nunca Más. Y Nunca Más, Viet Nam.
Más Nunca, Nunca Más, Viet Nam, y Nunca Más.

(La rueda dentada, 1972)

La montaña

El ojo no te engaña.
Lo que ves allá lejos
del Sol a los reflejos,
es la montaña.

La mole que se baña
en helada blancura
que todo el año dura,
también es la montaña.

Esa uña, que araña
(como se araña un velo)
el velo azul del cielo,
es la montaña.

Y si herido en su entraña
se alza el mongol y advierte:
—¡Libre vivir, o muerte!,
también es la montaña.

(La rueda dentada, 1972)

En el Museo de Pyongyang

En las vitrinas del Museo
están las armas con que un día
al japonés el pueblo vencería.
En las vitrinas del Museo.

En las vitrinas del Museo
están las armas con que un día
el pueblo al yanqui intruso arrojaría.
En las vitrinas del Museo.

En las vitrinas del Museo
están las armas noche y día.
Rugen las armas, rugen todavía
en las vitrinas del Museo.

(La rueda dentada, 1972)

A las ruinas de Nueva York

Éstos, Fabio, ¡ay dolor!, etcétera.

Esta, niños, ciudad que veis ahora
a los vientos errantes ofrecida,
con blanca furia y llama dirigida
de otros tiempos cruel gobernadora,

rindió por fin su lanza retadora
y hoy yace en rota piedra convertida,
Nueva York, en el siglo conocida
por puta mucho más que por señora:

Aquí Broadway lució su rica empresa,
la Bolsa dilató su griterío
y la virtud murió golpeada y presa.

Este desierto páramo sombrío
aguardar no alcanzó reliquia ilesa,
sino la sangre, enorme como un río.

(La rueda dentada, 1972)

Che Comandante

No porque hayas caído
tu luz es menos alta.
Un caballo de fuego
sostiene tu escultura guerrillera
entre el viento y las nubes de la Sierra.
No por callado eres silencio.

Y no porque te quemen,
porque te disimulen bajo tierra,
porque te escondan
en cementerios, bosques, páramos,
van a impedir que te encontremos,
Che Comandante,
amigo.

Con sus dientes de júbilo
Norteamérica ríe. Mas de pronto
revuélvese en su lecho
de dólares. Se le cuaja
la risa en una máscara,
v tu gran cuerpo de metal
sube, se disemina
en las guerrillas como tábanos,
y tu ancho nombre herido por soldados
ilumina la noche americana
como una estrella súbita, caída
en medio de una orgía.
Tú lo sabías, Guevara,
pero no lo dijiste por modestia,
por no hablar de ti mismo,
Che Comandante,
amigo.

Estás en todas partes. En el indio
hecho de sueño y cobre. Y en el negro
revuelto en espumosa muchedumbre,
y en el ser petrolero y salitrero,

y en el terrible desamparo
de la banana, y en la gran pampa de las pieles,
y en el azúcar y en la sal y en los cafetos,
tú, móvil estatua de tu sangre como te derribaron,
vivo, como no te querían,
Che Comandante,
amigo.

Cuba te sabe de memoria. Rostro
de barbas que clarean. Y marfil
y aceituna en la piel de santo joven.
Firme la voz que ordena sin mandar,
que manda compañera, ordena amiga,
tierna y dura de jefe camarada.
Te vemos cada día ministro,
cada día soldado, cada día
gente llana y difícil
cada día.
Y puro como un niño
o como un hombre puro,
Che Comandante,
amigo.

Pasas en tu descolorido, roto, agujereado traje de campaña.
El de la selva, como antes
fue el de la Sierra. Semidesnudo
el poderoso pecho de fusil y palabra,
de ardiente vendaval y lenta rosa.
No hay descanso.
                    ¡Salud, Guevara!
O mejor todavía desde el hondón americano:
Espéranos. Partiremos contigo. Queremos
morir para vivir como tú has muerto,
para vivir como tú vives,
Che Comandante,
amigo.

                              (*La rueda dentada,* 1972)

Guitarra en duelo mayor

I

Soldadito de Bolivia,
soldadito boliviano,
armado vas de tu rifle,
que es un rifle americano,
que es un rifle americano,
soldadito de Bolivia,
que es un rifle americano.

II

Te lo dio el señor Barrientos,
soldadito boliviano,
regalo de míster Johnson
para matar a tu hermano,
para matar a tu hermano,
soldadito de Bolivia,
para matar a tu hermano.

III

¿No sabes quién es el muerto,
soldadito boliviano?
El muerto es el Che Guevara,
y era argentino y cubano,
y era argentino y cubano,
soldadito de Bolivia,
y era argentino y cubano.

IV

Él fue tu mejor amigo,
soldadito boliviano;

él fue tu amigo de a pobre
del Oriente al altiplano,
del Oriente al altiplano,
soldadito de Bolivia,
del Oriente al altiplano.

V

Está mi guitarra entera,
soldadito boliviano,
de luto, pero no llora,
aunque llorar es humano,
aunque llorar es humano,
soldadito de Bolivia,
aunque llorar es humano.

VI

No llora porque la hora,
soldadito boliviano,
no es de lágrima y pañuelo,
sino de machete en mano,
sino de machete en mano,
soldadito de Bolivia,
sino de machete en mano.

VII

Con el cobre que te paga,
soldadito boliviano,
que te vendes, que te compra,
es lo que piensa el tirano,
es lo que piensa el tirano,
soldadito de Bolivia,
es lo que piensa el tirano.

VIII

Despierta, que ya es de día,
soldadito boliviano,
está en pie ya todo el mundo,
porque el sol salió temprano,
porque el sol salió temprano,
soldadito de Bolivia,
porque el sol salió temprano.

IX

Coge el camino derecho,
soldadito boliviano;
no es siempre camino fácil,
no es fácil siempre ni llano,
no es fácil siempre ni llano,
soldadito de Bolivia,
no es fácil siempre ni llano.

X

Pero aprenderás seguro,
soldadito boliviano,
que a un hermano no se mata,
que no se mata a un hermano,
que no se mata a un hermano,
soldadito de Bolivia,
que no se mata a un hermano.

(*La rueda dentada*, 1972)

Lectura de domingo

He leído acostado
todo un blando domingo.
Yo en mi lecho tranquilo,
mi suave cabezal,
mi cobertor bien limpio,
tocando piedra, lodo, sangre,
garrapata, sed,
orines, asma:
Indios callados que no entienden,
soldados que no entienden,
señores teorizantes que no entienden,
obreros, campesinos que no entienden.

Terminas de leer,
quedan tus ojos fijos
¿en qué sitio del viento?
El libro ardió en mis manos,
lo he puesto luego abierto,
como una brasa pura,
sobre mi pecho.
Siento
las últimas palabras
subir desde un gran hoyo negro.

Inti, Pablito, el Chino y Aniceto.
El cinturón del cerco.
La radio del ejército
mintiendo.
Aquella luna pequeñita
colgando suspendida
a una legua de Higueras
y dos de Pucará.
Después silencio.
No hay más páginas.
Esto se pone serio.
Esto se acaba pronto.
Termina.

Va a encenderse.
Se apaga.
Va a nacer.

(*La rueda dentada*, 1972)

Ho Chi Minh

Al final del largo viaje,
Ho Chi Minh suave y despierto:
Sobre la albura del traje
le arde el corazón abierto.
No trae escolta ni paje.
Pasó montaña y desierto:
En la blancura del traje,
sólo el corazón abierto.

No quiso más para el viaje.

(*La rueda dentada*, 1972)

Balada por la muerte de Gagarin

Miradlo a Gagarin fuerte.
Su vida
no es una rosa sumergida
ni en lodo y musgo se convierte.
En el fragor de la caída
nadie oyó el agua de la muerte.

El mundo llora. Mas ¿por qué? La vida
del héroe está de un astro suspendida.
¡Oh mundo! Él puede verte
y brindarte una rama florecida.
En el fragor de la caída
nadie oyó el viento de la muerte.

Su rostro se detuvo, yace inerte,
mas su gran voz resuena repartida
de vida en vida y vida en vida.
Miradlo a Gagarin fuerte.
En el fragor de la caída
nadie oyó el trueno de la muerte.

Partió en un vuelo sin medida.
Su luz azul la noche vierte
y cada estrella está encendida.
Miradlo a Gagarin fuerte.
En el fragor de la caída
pasó y sonrió sobre la muerte.

(La rueda dentada, 1972)

Elegías, 1948-1958

Elegía cubana

CUBA, isla de América Central, la mayor
de las Antillas, situada a la entrada
del golfo de México...

LAROUSSE ILUSTRADO.

Cuba, palmar vendido,
sueño descuartizado,
duro mapa de azúcar y de olvido...

¿Dónde, fino venado,
de bosque en bosque y bosque perseguido,
bosque hallarás en que lamer la sangre
de tu abierto costado?
Al abismo colérico
de tu incansable pecho acantilado,
me asomo y siento el lúgubre
latir del agua insomne;
siento cada latido

como de un mar en diástole,
como de un mar en sístole,
como de un mar concéntrico,
de un mar como en sí mismo derramado.
Lo saben ya, lo han visto
las mulatas con hombros de caoba,
las guitarras con vientres de mulata;
lo repiten, lo han visto
las noches en el puerto,
donde bajo un gran cielo de hojalata
flota un velero muerto.
Lo saben el tambor y el cocodrilo,
los choferes, el Vista
de la Aduana, el turista
de asombro militante;
lo aprendió la botella
en cuyo fondo se ahoga una estrella;
lo aprendieron, lo han visto
la calle con un niño de cien años,
el ron, el bar, la rosa, el marinero
y la mujer que pasa de repente,
en el pecho clavado
un puñal de aguardiente.

Cuba, tu caña miro
gemir, crecer ansiosa,
larga, larga, como un largo suspiro.
Medio a medio del aire
el humo amargo de tu incendio aspiro;
allí su cuerno erigen,
deshaciéndose en mínimos relámpagos,
pequeños diablos que convoca y cita
la Ambición con su trompa innumerable.
Allí su negra pólvora vistiendo
el joven de cobarde dinamita
que asesina sonriendo,
y el cacique tonante, breve Júpiter,
mandarín bien mandado,
que estalla de improviso, sube, sube

y cuando más destella,
maromero en la punta de una nube,
¡ay! también de improviso baja, baja
y en la roca se estrella,
cadáver sin discurso ni mortaja.
Allí el tragón avaro,
uña y pezuña a fondo en la carroña,
y el general de charretera y moña
que el Olimpo trepó sin un disparo,
y el doctor de musgosa calavera,
siempre de espaldas a la primavera...
Afuera está el vecino.
Tiene el teléfono y el submarino.
Tiene una flota bárbara, una flota
bárbara... Tiene una montaña de oro
y un mirador y un coro
de águilas y una nube de soldados
ciegos, sordos, armados
por el miedo y el odio. (Sus banderas
empastadas en sangre, un fisiológico
hedor esparcen que demora el vuelo
de las moscas.) Afuera está el vecino,
rodeado de fieras
nocturnas, enviando embajadores,
carne de buey en latas, pugilistas,
convoyes, balas, tuercas armadores,
efebos onanistas,
ruedas para centrales, chimeneas
con humo ya, zapatos de piel dura,
chicle, tabaco rubio, gasolina,
ciclones, cambios de temperatura,
y también desde luego,
tropas de infantería de marina,
porque es útil (a veces) hacer fuego...
¿Qué más, qué más? El campo roto y ciego
vomitando sus sombras al camino
bajo la fusta de los mayorales,
y la ciudad caída, sin destino,
de smoking en el club, o sumergida,

lenta, viscosa, en fiebres y hospitales,
donde mueren soñando con la vida
gentes ya de proyectos animales...

¿Y nada más? —preguntan
gargantas y gargantas que se juntan.
Ahí está Juan Descalzo. Todavía
su noche espera el día.
Ahí está Juan Montuno,
en la bandurria el vegetal suspiro,
múltiple el canto y uno.
Está Juan Negro, hermano
de Juan Blanco, los dos la misma mano.
Está, quiero decir, Juan Pueblo, sangre
nuestra diseminada y numerosa:
estoy yo con mi canto,
estás tú con tu rosa
y tú con tu sonrisa
y tú con tu mirada
y hasta tú con tu llanto
de punta —cada lágrima una espada.
Habla Juan Pueblo, dice:
—Alto Martí tu azul estrella enciende.
Tu lengua principal corte la bruma.
El fuego sacro en la montaña prende.
Habla Juan Pueblo, dice:
—Maceo de metal, machete amigo,
rayo, campana, espejo,
herido vas, tu rojo rastro sigo.
Otra vez Paralejo
bien pudiera marcar con dura llama
no la piel del león domado y viejo,
sino el ala del pájaro sangriento
que desde el alto Norte desparrama
muerte, gusano y muerte, cruz y muerte,
lágrima y muerte, muerte y sepultura,
muerte y microbio, muerte y bayoneta,
muerte y estribo, muerte y herradura,
muerte de arma secreta,

muerte del muerto herido solitario,
muerte del joven de verde corona,
muerte del inocente campanario;
muerte previa, prevista,
ensayada en Las Vegas,
con aviones a chorro y bombas ciegas.
Habla Juan Pueblo, dice:
—A mitad del camino,
¡ay! sólo ayer la marcha se detuvo;
siniestro golpe a derribarnos vino,
golpe siniestro el ímpetu contuvo.
Mas el hijo, que apenas
supo del padre el nombre al mármol hecho,
si heredó las cadenas,
también del padre el corazón metálico
trajo con él: le brilla
como una flor de bronce sobre el pecho.
Solar y coronado
de vengativas rosas,
de su fulgor armado,
la vieja marcha el héroe niño emprende:
en foso, almena, muro,
el hierro marca, ofende
y en la noche reparte el fuego puro…
Brilla Maceo en su cenit seguro.
Alto Martí su azul estrella enciende.

El apellido

ELEGÍA FAMILIAR

I

Desde la escuela
y aún antes… Desde el alba, cuando apenas
era una brizna yo de sueño y llanto,
desde entonces,

me dijeron mi nombre. Un santo y seña
para poder hablar con las estrellas.
Tú te llamas, te llamarás...
Y luego me entregaron
esto que veis escrito en mi tarjeta,
esto que pongo al pie de mis poemas:
las trece letras
que llevo a cuestas por la calle,
que siempre van conmigo a todas partes.
¿Es mi nombre, estáis ciertos?
¿Tenéis todas mis señas?
¿Ya conocéis mi sangre navegable,
mi geografía llena de oscuros montes,
de hondos y amargos valles
que no están en los mapas?
¿Acaso visitasteis mis abismos,
mis galerías subterráneas
con grandes piedras húmedas,
islas sobresaliendo en negras charcas
y donde un puro chorro
siento de antiguas aguas
caer desde mi alto corazón
con fresco y hondo estrépito
en un lugar lleno de ardientes árboles,
monos equilibristas,
loros legisladores y culebras?
¿Toda mi piel (debí decir),
toda mi piel viene de aquella estatua
de mármol español? ¿También mi voz de espanto,
el duro grito de mi garganta? ¿Vienen de allá
todos mis huesos? ¿Mis raíces y las raíces
de mis raíces y además
estas ramas oscuras movidas por los sueños
y estas flores abiertas en mi frente
y esta savia que amarga mi corteza?
¿Estáis seguros?
¿No hay nada más que eso que habéis escrito,
que eso que habéis sellado

con un sello de cólera?
(¡Oh, debí haber preguntado!)

Y bien, ahora os pregunto:
¿No veis estos tambores en mis ojos?
¿No veis estos tambores tensos y golpeados
con dos lágrimas secas?
¿No tengo acaso
un abuelo nocturno
con una gran marca negra
(más negra todavía que la piel),
una gran marca hecha de un latigazo?
¿No tengo pues
un abuelo mandinga, congo, dahomeyano?
¿Cómo se llama? ¡Oh, sí, decídmelo!
¿Andrés? ¿Francisco? ¿Amable?
¿Cómo decís Andrés en congo?
¿Cómo habéis dicho siempre
Francisco en dahomeyano?
En mandinga ¿cómo se dice Amable?
¿O no? ¿Eran, pues, otros nombres?
¡El apellido, entonces!
¿Sabéis mi otro apellido, el que me viene
de aquella tierra enorme, el apellido
sangriento y capturado, que pasó sobre el mar
entre cadenas, que pasó entre cadenas sobre el mar?
¡Ah, no podéis recordarlo!
Lo habéis disuelto en tinta inmemorial.
Lo habéis robado a un pobre negro indefenso.
Lo escondisteis, creyendo
que iba a bajar los ojos yo de la vergüenza.
¡Gracias!
¡Os lo agradezco!
¡Gentiles gentes, thank you!
Merci!
Merci bien!
Merci beaucoup!
Pero no... ¿podéis creerlo? No.
Yo estoy limpio.

Brilla mi voz como un metal recién pulido.
Mirad mi escudo: tiene un baobab,
tiene un rinoceronte y una lanza.
Yo soy también el nieto,
biznieto,
tataranieto de un esclavo.
(Que se avergüence el amo.)
¿Seré Yelofe?
¿Nicolás Yelofe, acaso?
¿O Nicolás Bakongo?
¿Tal vez Guillén Banguila?
¿O Kumbá?
¿Quizá Guillén Kumbá?
¿O Kongué?
¿Pudiera ser Guillén Kongué?
¡Oh, quién lo sabe!
¡Qué enigma entre las aguas!

II

Siento al noche inmensa gravitar
sobre profundas bestias,
sobre inocentes almas castigadas;
pero también sobre voces en punta,
que despojan al cielo de sus soles,
los más duros,
para condecorar la sangre combatiente
De algún país ardiente, perforado
por la gran flecha ecuatorial,
sé que vendrán lejanos primos,
remota angustia mía disparada en el viento;
sé que vendrán pedazos de mis venas,
sangre remota mía,
con duro pie aplastando las hierbas asustadas;
sé que vendrán hombres de vidas verdes,
remota selva mía,
con su dolor abierto en cruz y el pecho rojo en llamas.
Sin conocernos nos reconoceremos en el hambre,

en la tuberculosis y en la sífilis,
en el sudor comprado en bolsa negra,
en los fragmentos de cadenas
adheridos todavía a la piel;
sin conocernos nos reconoceremos
en los ojos cargados de sueños
y hasta en los insultos como piedras
que nos escupen cada día
los cuadrumanos de la tinta y el papel.
¿Qué ha de importar entonces
(¡qué ha de importar ahora!)
¡ay! mi pequeño nombre
de trece letras blancas?
¿Ni el mandinga, bantú,
yoruba, dahomeyano
nombre del triste abuelo ahogado
en tinta de notario?
¿Qué importa, amigos puros?
¡Oh, sí, puros amigos,
venid a ver mi nombre!
Mi nombre interminable,
hecho de interminables nombres;
el nombre mío, ajeno,
libre y mío, ajeno y vuestro,
ajeno y libre como el aire.

Elegía a Emmett Till

> El cuerpo mutilado de Emmett Till,
> 14 años, de Chicago, Illinois, fue extraído
> del río Tallahatchie, cerca de Greenwood,
> el 31 de agosto, tres días después de haber
> sido raptado de la casa de su tío, por un
> grupo de blancos armados de fusiles...
>
> *The Crisis,* NEW YORK, OCTUBRE DE 1955.

En Norteamérica,
la Rosa de los Vientos
tiene el pétalo sur rojo de sangre.

El Mississippi pasa
¡oh viejo río hermano de los negros!,
con las venas abiertas en el agua,
el Mississippi cuando pasa.
Suspira su ancho pecho
y en su guitarra bárbara,
el Mississippi cuando pasa
llora con duras lágrimas.

El Mississippi pasa
y mira el Mississippi cuando pasa
árboles silenciosos
de donde cuelgan gritos ya maduros,
el Mississippi cuando pasa,
y mira el Mississippi cuando pasa
cruces de fuego amenazante,
el Mississippi cuando pasa,
y hombres de miedo y alarido
el Mississippi cuando pasa
y la nocturna hoguera
a cuya luz caníbal
danzan los hombres blancos,
y la nocturna hoguera
con un eterno negro ardiendo
un negro sujetándose
envuelto en humo el vientre desprendido,
los intestinos húmedos,
el perseguido sexo,
allá en el Sur alcohólico,
allá en el Sur de afrenta y látigo,
el Mississippi cuando pasa.

Ahora, ¡oh Mississippi,
oh viejo río hermano de los negros!,
ahora un niño frágil,
pequeña flor de tus riberas,
no raíz todavía de tus árboles,
no tronco de tus bosques,
no piedra de tu lecho,

no caimán de tus aguas:
un niño apenas,
un niño muerto, asesinado y solo,
negro.

Un niño con su trompo,
con sus amigos, con su barrio,
con su camisa de domingo,
con su billete para el cine,
con su pupitre y su pizarra,
con su pomo de tinta.
con su guante de béisbol,
con su programa de boxeo,
con su retrato de Lincoln,
con su bandera norteamericana,
negro.

Un niño negro asesinado y solo,
que una rosa de amor
arrojó al paso de una niña blanca.
¡Oh viejo Mississippi,
oh rey, oh río de profundo manto!,
detén aquí tu procesión de espumas,
tu azul carroza de tracción oceánica:
mira este cuerpo leve,
ángel adolescente que llevaba
no bien cerradas todavía
las cicatrices de los hombros
donde tuvo las alas;
mira este rostro y perfil ausente,
deshecho a piedra y piedra,
a plomo y piedra,
a insulto y piedra;
mira este abierto pecho,
la sangre antigua ya de duro coágulo.
Ven y en la noche iluminada
por una luna de catástrofe,
la lenta noche de los negros
con sus fosforescencias subterráneas,

ven y en la noche iluminada,
dime tú, Mississippi,
si podrás contemplar con ojos de agua ciega
y brazos de titán indiferente,
este luto, este crimen,
este mínimo muerto sin venganza,
este cadáver colosal y puro:
ven y en la noche iluminada,
tú, cargado de puños y de pájaros,
de sueños y metales,
ven y en la noche iluminada,
oh viejo río hermano de los negros,
ven y en la noche iluminada,
ven y en la noche iluminada,
dime tú, Mississippi...

Elegía a Jacques Roumain

> Jacques Roumain nació en Port-au-Prince
> en 1907. Treinta y siete años después
> moría en la misma ciudad.
> Dejó libros de cuentos y libros de poemas.
> Dejó libros de botánica y libros de etno-
> logía. Se marchó una mañana de agosto,
> a las diez...

Grave la voz tenía.
Era triste y severo.
De luna fue y de acero.
Resonaba y ardía.

Envuelto en luz venía.
A mitad del sendero
sentóse y dijo: —¡Muero!
(Aún era sueño el día.)

Pasar su frente bruna,
volar su sombra suave,
dime, haitiano, si viste.

De acero fue y de luna.
Tenía la voz grave.
Era severo y triste.

¡Ay, bien sé, bien se sabe que estás muerto!
Rostro fundamental, seno profundo,
oh tú, dios abatido,
muerto ya como muere todo el mundo.
Muerto de piel ausente y de pulido
frontal, tu filosófico y despierto
cráneo de sueño erguido;
muerto sin ropa ni mortaja, muerto
flotando en aguas de implacable olvido,
muerto ya, muerto ya, muerto ya, muerto.
Sin embargo, recuerdo.
Recuerdo, sin embargo.
Por ejemplo, recuerdo su levita
de prócer cotidiano:
la de París
en humo gris,
en persistente gris
la de París
y la levita en humo azul del traje haitiano.
Recuerdo sus zapatos,
franceses todavía
y el pantalón a rayas que tenía
en una foto, en México, de cónsul.
Recuerdo
su cigarrillo demoníaco
de fuego perspicaz;
recuerdo su escritura de letras desligadas,
independientes, tímidas, duras, de pie, a la izquierda;
recuerdo
su pluma fuente corta, negra, gruesa, «Pelikano»,
de gutapercha y oro;
recuerdo
su cinturón de hebilla con dos letras.
(¿O un sola? No sé, me falla,
se me va en esto un poco la memoria;

tal vez era una sola, una gran R,
pero no estoy seguro...)
Recuerdo
sus corbatas, sus medias, sus pañuelos,
recuerdo
su llavero, sus libros, su cartera.
(Una cartera de Ministro,
ambiciosa, de cuero.)
Recuerdo
sus poemas inéditos,
sus papeles polémicos
y sus apuntes sobre negros.
Quizás haya también todo ya muerto,
o cuando más sean cosas de museo
familiar. Yo las conservo,
por aquí están, las guardo.
Quiero decir que las recuerdo.

¿Y lo demás, lo otro,
lo que hablábamos, Jacques?
¡Ay, lo demás no cambia, eso no cambia!
Allí está, permanece
como una gran página de piedra
que todos leen, leen, leen;
como una gran página sabida y resabida,
que todos dicen de memoria,
que nadie dobla,
que nadie vuelve, arranca
deese tremendo libro abierto haitiano,
de ese tremendo libro abierto
por esa misma página sangrienta haitiana,
por esa misma, sola, única abierta página
terrible haitiana hace trescientos años.
Sangre en las espaldas del negro inicial.
Sangre en el pulmón de Louverture.
Sangre en las manos de Leclerc
temblorosas de fiebre.
Sangre en el látigo de Rochambeau
con sus perros sedientos.

Sangre en el Pont-Rouge.
Sangre en la Citadelle.
Sangre en la bota de los yanquis.
Sangre en el cuchillo de Trujillo.
Sangre en el mar, en el cielo, en la montaña.
Sangre en los ríos, en los árboles.
Sangre en el aire.
(Olvidaba decir que justamente, Jacques,
el personaje de este poema,
murmuraba a veces: —Haití
es una esponja empapada en sangre.)

¿Quién va a exprimir la esponja, la insaciable
esponja? Tal vez él,
con su rabia de siglos. Tal vez él,
con sus dedos de sueño. Tal vez él,
con su celeste fuerza...
Él, Monsieur Jacques Roumain,
que hablaba en nombre
del negro Emperador, del negro Rey,
del negro Presidente
y de todos los negros que nunca fueron más que
                              Jean
                              Pierre
                              Víctor
                              Candide
                              Jules
                              Charles
                              Stephen
                              Raymond
                              André.
Negros descalzos frente al Champ de Mars,
o en el tibio mulato camino de Pétionville,
o más arriba,
en el ya frío blanco camino de Kenskoff:
negros no fundados aún,
sombras, zombies,
lentos fantasmas de la caña y el café,
carne febril, desgarradora,

primaria, pantanosa, vegetal.
Él va a exprimir la esponja,
él va a exprimirla.

Verá entonces el sol duro antillano,
cual si estallara telúrica vena,
enrojecer el pávido oceano.

Y flotar sin dogal y sin cadena
cuellos puros en suelta muchedumbre,
almas no, pero sí cuerpos en pena.

Móvil incendio de afilada lumbre,
lamerá con su lengua prometida
del fino llano a la nublada cumbre.

¡Oh aurora de los tiempos, encendida!
¡Oh mar, oh mar de sangre desbordado!
El pasado pasado no ha pasado.
La nueva vida espera nueva vida.

Y bien, en eso estamos, Jacques, lejano amigo.
No porque te hayas ido,
no porque te llevaran, mejor dicho,
no porque te cerraran el camino,
se ha detenido nadie, nadie se ha detenido.
A veces hace frío, es cierto. Otras, un estampido
nos ensordece. Hay horas de aire líquido,
lacrimosas, de estertor y gemido.
En ocasiones logra, obtiene un río
desbaratar un puente con su brutal martillo...
Mas a cada suspiro nace un niño.
Cada día la noche pare un sol amarillo
y optimista, que fecunda el baldío...
Muele su dura cosecha el molino.
Álzase, crece la espiga del trigo.
Cúbrense de rojas banderas los himnos.
¡Mirad! ¡Llegan envueltos en polvo y harapos los pri-
                                        [meros vencidos!

El día inicial inicia su gran luz de verano.
Venga mi muerto grave, suave, haitiano,
y alce otra vez hecha puño tempestuoso la mano.
Cantemos nuestra fraterna canción, hermano.

> *Florece plantada la vieja lanza.*
> *Quema en las manos la esperanza.*
> *La aurora es lenta, pero avanza.*

Cantemos frente a los frescos siglos recién despiertos,
bajo la estrella madura suspendida en la nocturna fragancia
y a lo largo de todos los caminos abiertos en la distancia.

Cantemos, pues, querido,
pisando el látigo caído
del puño del amo vencido,
una canció que nadie haya cantado:
(Florece plantada la vieja lanza)
una húmeda canción tendida
(Quema en las manos la esperanza)
de tu garganta en sombras, más allá de la vida,
(La aurora es lenta, pero avanza)
¡a mi clarín terrestre de cobre ensangrentado!

Elegía camagüeyana

¡Oh Camagüey, oh suave
comarca de pastores y sombreros!
No puedo hablar, pero me gritan
la noche, este misterio;
no puedo hablar, pero me obligan
el perfil de mi padre, su índice de recuerdo;
no puedo hablar, pero me llaman
su detenida voz y el sollozo del viento.

¡Oh Camagüey, oh santo
camposanto, santo, santo! Beso
tu piedra secular, tu frente ennegrecida;

piso con mis zapatos de retorno,
con mis pies de ida y vuelta,
el gran reposo de tu pecho.
Me veo partir como un jinete. Busco
en tu violada niebla matinal
una calle y la sigo
por entre el laberinto de mi infancia,
por entre las iglesias torrenciales,
por entre los machetes campesinos,
por entre plazas, sangres, gritos
de otro tiempo.
En un sueño.
Oh, mi pueblo.

La voz de una guitarra suspendida
suena, llora en el aire:

Clavel de la madrugada,
el de celeste arrebol,
ya quema el fuego de sol
tu gran corola pintada.
Mi bandurria desvelada,
espejo en que yo me miro,
desde el humilde retiro
de la ciudad que despierta,
al recordar a mi muerta,
se me rompe en un suspiro.

Andando voy. Encuentro
caballos soñolientos
y vendedores soñolientos
y borracos de vuelta, soñolientos:
caigo, lloro; tropiezo
con gentes de otro tiempo,
con gentes de allá lejos,
que ruedan, se deslizan
de otro tiempo.
Es un sueño.
Oh, mi pueblo.

Si yo pudiera
confiar a una guitarra compañera
mi pena simple, cantaría:

Aquí estoy, ¡oh tierra mía!,
en tus calles empedradas,
donde de niño, en bandadas
con otros niños, corría.
¡Puñal de melancolía
éste que me va a matar,
pues si alcancé a regresar,
me siento, desde que vine,
como en la sala de un cine,
viendo mi vida pasar!

Repito nombres ya desabrigados,
a la intemperie; nombres como huesos
de antepasados prehistóricos.
(Mi prehistoria: ayer apenas,
hoy mismo todavía y mañana tal vez.)
¿Dónde está Ñico López, farmacéutico
y amigo? ¿Dónde está, por ejemplo,
Esteban Cores, empleado
municipal, redonda cara roja
con su voz suave y ronca?
¿A dónde fue mi abuela pequeñita,
caminadora pequeñita,
Pepilla pequeñita,
con su voz asfixiada y su pañuelo
de cáncer ya en el cuello,
mi abula pequeñita?
¿Y el policía Caanmañ, con altos ojos verdes
y boca de dos dientes?
¿Y dónde está Zamora, el policía
negro, corpachón de gigante,
sonrisa de hombre bueno?
(¡Zamora, que allá viene Zamora!
Era el grito de espanto
sobre mis juegos, terror de mis esparcimientos.)

¿Y mi compadre Agustín Pueyo,
que hablaba de Aristóteles
en las tertulias de «Maceo»?
De repente me acuerdo
de Serafín Toledo,
su gran nariz, su carcajada,
sus tijeras de sastre,
lo veo.
De Tomás Vélez tengo
(de Tomás Vélez, mi maestro)
el pizarrón con logaritmos
y un colmenar oscuro de abejas matemáticas
en el Callejón de la Risa.
Apeles Pla me espera,
pintor municipal de viento y polvo,
el Enemigo Bueno,
diablo mayor, que me enseñó
la primera mujer y el primer trago.
¿Y aquel ancho periódico
donde el señor Bielsa desataba
ríos editoriales? ¿Dónde está el coche,
con su tin-tán, tin-tán,
con su tin-tán el coche
de don Miguel Ramírez, médico
quebradizo y panal que tuvo fuerzas
para arrancarme de raíz? Encuentro
en un recodo del recuerdo,
frente a un muro de plomos alfabetos,
a Próspero Carreras, el tipógrafo
casi mongol, breve chispazo eléctrico
allá en la suave imprenta provinciana
de mi niñez. Ahí pasa
Cándido Salazar, que repartía
de barrio en barrio y sueño liberal,
repartía
con su perfil de emperador romano,
repartía
bajo un cielo de estrellas y murciélagos,
en la noche reciente repartía

rosas de tinta y sangre
cortadas por mi padre para el pueblo.
Calle del Hospital, recorro
tu antigua piel de barro mordida por el viento.
No olvidé, no he olvidado,
calle de San Ignacio,
el gran balcón aéreo
de la terrestre casa donde soñó don Sixto
que fue abogado y mi padrino.
Búscame, calle de San Miguel, de nuevo
aquel pupitre público
lleno de cicatrices cortaplumas
y el aula pajarera, fino trueno
colmenar y la ancha voz metálica
de Luis Manuel de Varona.

Vengo de andar y aquí me quedo,
con mi pueblo.
Vengo con mis recuerdos,
vengo con mis heridas y mis versos.

Mi madre está en la ventana
de mi casa cuando llego;
ella, que fue llanto y ruego,
cuando partí una mañana.
De su cabellera cana
toma ejemplo el algodón,
y de sus ojos, que son
ojos de suave paloma,
latiendo de nuevo, toma
nueva luz mi corazón.

Vengo de andar y aquí me hundo, en esta espuma.
Vengo de andar y aquí me tiendo, en esta hierba.
Aquí vengo a jugar, en esta plaza.
Aquí vengo a cantar, bajo estas nubes,
junto a verdes guitarras temblorosas,
de muslos entreabiertos.
Gente de urgencia diaria,

voces, gargantas, uñas
de la calle, límpidas almas cotidianas,
héroes no, fondo de historia,
sabed que os hablo y sueño,
sabed que os busco en medio de la noche,
en medio de la noche,
sabed que os busco en medio de la noche,
la noche, este silencio,
en medio de la noche y la esperanza.

Elegía a Jesús Menéndez

> Nacido entre las cañas, muerto luchando
> por ellas, Jesús Menéndez fue el más alto
> líder de los trabajadores cubanos del
> azúcar. Cayó asesinado en la ciudad de
> Manzanillo, el 22 de enero de 1948.

I

> ...armado
> más de valor que de acero.
>
> GÓNGORA.

Las cañas iban y venían
desesperadas, agitando
las manos.
Te avisaban la muerte,
la espalda rota y el disparo.
El capitán de plomo y cuero,
de diente y plomo y cuero te enseñaban;
de pezuña y mandíbula,
de ojo de selva y trópico,
sentado en su pistola el capitán.
¡Con qué voz te llamaban,
te lo decían,
cañas
desesperadas,

agitando las manos!
Allí estaba,
la boca líquida entreabierta,
el salto próximo esculpido
bajo la piel eléctrica,
sentado en su pistola el capitán.
Allí estaba,
las narices venteando
tus venas inmediatas,
casi ya derramadas,
el ojo fijo en tu pulmón,
el odio recto hacia tu voz,
sentado en su pistola el capitán.

Cañas
desesperadas
te avisaban,
agitando las manos.

Tú andabas entre ellas. Sonreías
en tu estatura primordial y ardías.
Violento azúcar en tu voz de mando,
con su luz de relámpago nocturno
iba de yanqui en yanqui resonando.
De pronto, el golpe de la pólvora. El zarpazo
puesto en la punta de un rugido,
y el capitán de plomo y cuero,
el capitán de diente y plomo y cuero,
ya en tu incansable, en tu marítima,
ya en tu profunda sangre sumergido.

II

> ...Hubo muchos valores que se destacaron.
> *New York Herald Tribune*
> (Sección Financiera)

Al fin sangre solar caída,
disuelta en agrio charco sobre azúcar.

Al fin arteria rota;
sangre anunciada, en venta
una mañana de la Bolsa
de Nueva York. Sangre anunciada, en venta
desde esa cinta vertiginosa
que envenena y se arrastra como una
víbora interminable de piel veloz marcada
con un tatuaje de números y crímenes.

Títulos que mejoran
o bajan medio punto.
Bonos sin vencimiento que ganaron
hasta el cinco por ciento de interés en un año.
La Cuban Atlantic Company
ayer martes,
operó, por ejemplo,
a veintinueve y medio con baja de dos puntos.
La Punta Alegre Sugar Company,
cerró con alza de un octavo de punto.
El *Wall Street Journal* anuncia
que la Minnesota and Ontario Paper Company
ganó cuatro millones
más que el año anterior. (El *New York Times*
bate palmas y chilla: ¡Vamos bien!)
Dow Jones comunica por un hilo exclusivo
que la Fedders Quigan Corporation
ha retirado su propuesta para
advertir las acciones comunes.
La Cuban Railroad Company
estuvo activa y firme.
La Mullings Manufacturing Company
recibió del Ejército
un colosal pedido
para fabricar proyectiles de artillería.
En fin, cotizaciones varias:

     Cuban Company Communes:
     abre con 5 puntos,
              cierra con 5 3/8.

West Indies Company,
abre con 69 puntos,
      cierra con 69 5/8.
United Fruit Company,
abre con 31 puntos,
      cierra con 31 1/8.
Cuba American Company,
abre con 21 puntos,
      cierra con 21 3/4.
Foster Welles Company,
abre con 40 puntos,
      cierra con 41 5/8.

De repente
un gran trueno cuartea el techo frágil,
un rayo cae
desde aquel bajo cielo sulfúrico
hasta el salón congestionado:
      Sangre Menéndez, hoy, al cierre,
        150 puntos 7/8 con tendencia al alza.

El coro allí de
      comerciantes
      usureros
      papagayos
      lynchadores
      amanuenses
      policías
      capataces
      proxenetas
      recaderos
      delatores
      accionistas
      mayorales
      trúmanes
      macártures
      eunucos
      bufones
      tahúres;

el coro allí de gente
        seca
        sorda
        ciega
        dura;

el coro allí junto a la abierta espalda
del alto atleta vegetal, vendiendo
borbotones de angustia, pregonando
coágulos cotizables, nervios, huesos de aquella
descuartizada rebeldía;
una mordida
no más en el pulmón ya perforado.
Y el capitán detrás de las medallas,
cóncavo en la librea,
el pensamiento en la propina,
la voz a ras con las espuelas:
—Please, please! Come on, ladies and gentlemen!
Oh please! Come on, come on, come on!

Finalmente, este cauteloso suspiro de angustia se
escapó de un diario de la tarde:

> Aunque las ganancias ayer fueron impresionantes,
> el volumen relativamente bajo de un millón seis-
> cientas mil acciones da motivo para reflexionar.
> A pesar de la variedad de razones expresadas,
> parece muy probable que la mejoría haya sido de
> naturaleza técnica, y puede o no resultar de un
> viraje de la tendencia reciente, dependiendo de
> que los promedios logren penetrar sus máximos
> anteriores...

El capitán partió rumbo al cuartel
con una aguja de cuajada sangre
pinchándole los ojos.

III

>...Si no hay entre nosotros
>hombre a quien este bárbaro no afrente?
>
>LOPE DE VEGA.

Mirad al Capitán del Odio
entre un buitre y una serpiente;
amargo gemido lo busca,
metálico viento lo envuelve.
En una ráfaga de pólvora
su rostro lívido se pierde;
parte a caballo y es de noche,
pero tras él corre la Muerte.

Allá donde anda su revólver
en diálogo con su machete
y le velan cuatro fusiles
el pesado sueño que duerme,
libre prisión un alto muro
su duro asilo le concede.
¡Oh capitán, el bien guardado!
Pero tras él corre la Muerte.

Quien le cuajara en nueve lunas
el violento perfil terrestre,
si doce meses lo maldice,
también lo llora doce meses.
Un angustiado puente líquido
de rojas lágrimas le tiende:
lo pasa huyendo el capitán,
pero tras él corre la Muerte.

Quien le engendró dientes de lobo
soñándole angélica veste,
el ojo fijo arder le mira
y en lenta baba revolverse.
Baja, buscándole en el bosque
cubil seguro en que esconderle:

huye hasta el bosque el capitán
pero tras él corre la Muerte.

Un mozo de dorado bozo,
de verde tronco y hojas verdes,
derrama en el viento su voz,
llora por la sangre que tiene.
¡Ay, sangre (sollozando dice)
cómo me quemas y me dueles!
El capitán huye en un grito,
pero tras él corre la Muerte.

Quien de sus rosas amorosas
le regaló la de más fiebre,
teje una cruel corona oscura
y es con vergüenza como teje.
Le resplandece el corazón
en la gran noche de la frente;
huye sin verla el capitán,
pero tras él corre la Muerte.

En medio de las cañas foscas
galopa el hirsuto jinete;
va con un látigo de fósforo
y el odio cuando pasa enciende.
Jesús Menéndez se sonríe,
desde su pulmón amanece:
huye de un golpe el capitán,
pero tras él corre la Muerte.

IV

> Un corazón en el pecho
> de crímenes no manchado.
>
> PLÁCIDO.

Jesús es negro y fino y prócer, como un bastón
de ébano, y tiene los dientes blancos y corteses,
por lo que su boca se abre siempre amanecida;

Jesús brilla a veces con ojos tristes y dulces;
a veces óyese bramar en sus ojos un agua embravecida;

Jesús dice *carro, río, ferrocarril, cigarro,*
como un francés renuente a olvidar su lengua
de niño, nunca perdida;

pero es cubano y su padre habló con Maceo; su
padre, que llevaba en el hombro una estrella de
oro, una ardiente estrella encendida;

alguna vez anduve con Jesús transitando de
sueño en sueño su gran provincia llena de hombres
que le tendían la mocha encallecida;

su gran provincia llena de hombres que gritaban
¡Oh Jesús! como si hubieran estado esperando
largamente su venida;

viósele entonces hablarles sin tribuna y tan
cerca de ellos que les contaba los poros y les
olía la piel agria y repartida;

se le vio luego sentárseles a la mesa
de blanco arroz y oscura carne; a la mesa sin vino
ni mantel, y presidirles la comida;

Jesús nació en el centro de su Isla y allí
se le descubre desde el mar, en los días claros,
cubierto de nubes fijas;
¡subid, subidlo y contemplaréis desde su frente
con qué fragor hierve a sus pies y se renueva
en ondas interminables la vida!

V

Vuelve a buscar a aquel que lo ha herido,
y al punto que miró, le conocía.

ERCILLA.

Los grandes muertos son inmortales: no mueren nunca.
Parece que se marchan; parece que se los llevan, que
se pudren, que se deshacen. Pensamos que la última
tierra que les llena la boca va a enmudecerlos para
siempre. Pero la lengua se les hincha, les crece; la
lengua se les abre como una semilla bárbara y expulsa
un árbol gigantesco, un árbol duro, cargado de plumas
y de nidos. ¿Quién vio caer a Jesús? Nadie lo viera,
ni aun su asesino. Quedó en pie, rodeado de cañas
insurrectas, de cañas coléricas. Y ahora grita, resuena,
no se detiene. Marcha por un camino sin término,
hecho de tiempo sutil, polvoriento de instantes me-
nudos, como una arena fina. No esperes a que Jesús
te bendiga y te oiga cada año, luego de la romería y
el sermón y la salve y el incienso, porque él no espera
tanto tiempo para hablarte. Te habla siempre, como
un dios cotidiano, a quien puedes tocar la piel húmeda
temblorosa de latidos, de pequeñas mariposas de fuego
aleteándole en las venas; te habla siempre como un
amigo puro que no desaparece. El desaparecido es el
otro. El vivo es el muerto, cuya persistencia mineral
es apenas una caída anticipada, un adelanto lúgubre.
El vivo es el muerto. Rojo de sangre ajena, habla sin
voz y nadie le atiende ni le oye. El vivo es el muerto.
Anda de noche en noche y amenaza en el aire con un
puño de agua podrida. El vivo es el muerto. Con
un puño de limo y cloaca, que hiede como el estómago
de una hiena. El vivo es el muerto. ¡Ah, no sabéis
cuántos recuerdos de metal le martillean a modo de
pequeños martillos y le clavan largos clavos en las
sienes!

Caña Manzanillo ejército
bala yanqui azúcar

crimen Manzanillo huelga
ingenio partido cárcel
dólar Manzanillo viuda
entierro hijos padres
venganza Manzanillo zafra.

Un torbellino de voces que lo rodean y golpean, o que
de repente se quedan fijas, pegadas al vidrio celeste.
Voces de macheteros y campesinos y cortadores y
ferroviarios. Ásperas voces también de soldados que
aprietan un fusil en las manos y un sollozo en la
garganta.

Yo bien conozco a un soldado,
compañero de Jesús,
que al pie de Jesús lloraba
y los ojos se secaba
con un pañolón azul.
Después este son cantaba:

Pasó una paloma herida,
volando cerca de mí;
roja le brillaba un ala,
que yo la vi.

Ay, mi amigo,
he andado siempre contigo:
tú ya sabes quién tiró,
Jesús, que no he sido yo.
En tu pulmón enterrado
alguien un plomo dejó,
pero no fue este soldado,
pero no fue este soldado,
Jesús,
¡por Jesús que no fui yo!

Pasó una paloma herida,
volando cerca de mí;
rojo le brillaba el pico,
que yo la vi.

Nunca quiera
contar si en mi cartuchera
todas las balas están:
nunca quiera, capitán.
Pues faltarán de seguro
(de seguro faltarán)
las balas que a un pecho puro,
las balas que a un pecho puro,
mi flor,
por odio a clavarse van.

Pasó una paloma herida,
volando cerca de mí;
rojo le brillaba el cuello,
que yo la vi.

¡Ay, que triste
saber que el verdugo existe!
Pero es más triste saber
que mata para comer.
Pues que tendrá la comida
(todo puede suceder)
un gusto a sangre caída,
un gusto a sangre caída,
caramba,
y a lágrima de mujer.

Pasó una paloma herida,
volando cerca de mí;
rojo le brillaba el pecho,
que yo la vi.

Un sinsonte
perdido murió en el monte,
y vi una vez naufragar
un barco en medio del mar.
Por el sinsonte perdido
ay, otro vino a cantar,
y en vez de aquel barco hundido,

y en vez de aquel barco hundido,
mi bien,
otro salió a navegar.

Pasó una paloma herida,
volando cerca de mí;
iba volando, volando,
volando, que yo la vi.

VI

> Y alumbrando el camino de la fácil conquista,
> la libertad levanta su antorcha en Nueva York.
>
> Rubén Darío.

Jesús trabaja y sueña. Anda por su isla, pero también
se sale de ella, en un gran barco de fuego. Recorre las
cañas míseras, se inclina sobre su dulce angustia, habla
con el cortador desollado, lo anima y lo sostiene. De
pronto, llegan telegramas, noticias, voces, signos sobre
el mar de que lo han visto los obreros de Zulia cuajados
en gordo aceite, contar las veces que el balancín petrolero, como un ave de amargo hierro, pica la roca
hasta llegarle al corazón. De Chile se supo que Jesús
visitó las sombrías oficinas del salitre, en Tarapacá y
Tocopilla, allá donde el viento está hecho de ardiente
cal, de polvo asesino. Dicen los bogas del Magdalena
que cuando lo condujeron a lo largo del gran río, bajo
el sol de grasa de coco, Jesús les recordó el plátano
servil y el café esclavo en el valle del Cauca, y el negro
dramático, acorralado al borde del Caribe, mar pirata.
Desde el Puente Rojo exclama Dessalines: «¡Traición,
traición, todavía!» Y lo presenta a Defilée loca y
trágica, que le veló la muerte haitiana llena de moscas.
Hierven los morros y favelas en Río de Janeiro, porque
allá anunciaron la llegada de Jesús, con otros traba-
jadores, en el tren de la Leopoldina. Puerto Rico le
enseña sus cadenas, pero levanta el puño ennegrecido

por la pólvora. Un indio de México habló sin mentarse.
Dijo: «Anoche lo tuve en mi casa.» A veces se demora en el Perú de plata fina y sangrienta. O bajando
hacia la punta sur de nuestro mapa, júntase a los peones
en los pagos enérgicos y les acompaña la queja viril
en la guitarra decorosa. ¿A dónde vuela ahora, a dónde
va volando, más allá del cinturón de volcanes con que
América defiende su ombligo torturado por la United
Fruit desde el Istmo roto hasta la linde azteca? Vuela
ahora, sube por el aire oleaginoso y correoso, por
el aire grasiento, por el aire espeso de los Estados
Unidos, por ese negro humo. Un vasto estrépito le hace
volver los ojos hacia las luces de Washington y Nueva
York, donde bulle el festín de Baltasar.

Ahí ve que de un zarpazo Norteamérica
alza una copa de negro metal;
la negra copa del violento hidrógeno
con que brinda el Tío Sam.
Lúbrico mono de pequeño cráneo
chilla en su mesa: *¡Por la muerte va!*
Crepuscular responde un coro múltiple:
¡Va por la muerte, por la muerte va!

Aire de buitre removiendo el águila
mira de un mar al otro mar;
encapuchados danzan hombres fúnebres,
baten un fúnebre timbal
y encendiendo las tres letras fatídicas
con que se anuncia el Ku Klux Klan,
lanzan del Sur un alarido unánime:
¡Va por la muerte, por la muerte va!

Arde la calle donde nace el dólar
bajo un incendio colosal.
En la retorta hierve el agua química.
Establece la asfixia el gas.
Alegre está Jim Crow junto a un sarcófago.
Lo viene Lynch a saludar.

Entre los dos se desenreda un látigo:
¡Va por la muerte, por la muerte va!

Fijo en la cruz de su caballo, Walker
abrió una risa mineral.
Cultiva en su jardín rosas de pólvora
y las riega con alquitrán;
sueña con huesos ya sin epidermis,
sangre en un chorro torrencial;
bajo la gorra, un pensamiento bárbaro:
¡Va por la muerte, por la muerte va!

Jesús oye el brindis, las temibles palabras, el largo
trueno, pero no desanda sus pasos. Avanza seguido de
una canción ancha y alta como un pedazo de océano.
¡Ay, pero a veces la canción se quiebra en un alarido,
y sube de Martinsville un seco humo de piel cocida
a fuego lento en los fogones del diablo! Allá abajo
están las amargas tierras del Sur yanqui, donde los
negros mueren quemados, emplumados, violados, arras-
trados, desangrados, ahorcados, el cuerpo campaneando
trágicamente en una torre de espanto. El jazz estalla
en lágrimas, se muerde los gordos labios de música y
espera el día del Juicio Inicial, cuando su ritmo en
síncopa ciña y apriete con una cobra metálica el cuello
del opresor. ¡Danzad despreocupados, verdugos crueles,
fríos asesinos! ¡Danzad bajo la luz amarilla de vuestros
látigos, bajo la luz verde de vuestra hiel, bajo la luz
roja de vuestras hogueras, bajo la luz azul del gas de
la muerte, bajo la luz violácea de vuestra putrefacción!
¡Danzad sobre los cadáveres de vuestras víctimas, que
no escaparéis a su regreso irascible! Todavía se oye,
oímos todavía; suena, se levanta, arde todavía el largo
rugido de Martinsville. Siete voces negras en Martinsville llaman siete veces a Jesús por su nombre y le
piden en Martinsville, le piden en siete gritos de rabia,
como siete lanzas, le piden en Martinsville, en siete
golpes de azufre, como siete piedras volcánicas, le
piden siete veces venganza. Jesús nada dice, pero hay

en sus ojos un resplandor de grávida promesa, como
el de las hoces en la siega, cuando son heridas por
el sol. Levanta su puño poderoso como un seguro martillo y avanza seguido de duras gargantas, que entonan
en un idioma nuevo una canción ancha y alta, como un
pedazo de océano. Jesús no está en el cielo, sino en
la tierra; no demanda oraciones, sino lucha; no quiere
sacerdotes, sino compañeros; no erige iglesias, sino
sindicatos: Nadie lo podrá matar.

VII

> Apriessa cantan los gallos
> e quiren crebar albores.
>
> POEMA DEL CID.

¡Qué dedos tiene, cuántas
uñas saliéndole del sueño! Brilla
duro fulgor sobre la hundida zona
del aire en que quisieron destruirle
la piel, la luz, los huesos, la garganta.
¡Cómo le vemos, cómo habrá de vérsele
pasar aullando en medio de las cañas,
o bien quedar suspenso remolino,
o bien bajar, subir,
o bien de mano en mano
rodar como una constante moneda,
o bien arder al filo de la calle
en demorada llamarada,
o bien tirar al río de los hombres,
al mar, a los estanques de los hombres
canciones como piedras,
que van haciendo círculos de música
vengadora, de música
puesta, llevada en hombros como un himno!

Su voz aquí nos acompaña y ciñe.
Estrujamos su voz
como una flor de insomnio
y suelta un zumo amargo,

suelta un olor mojado,
un agua de palabras puntiagudas
que encuentran en el viento
el camino del grito,
que encuentran en el grito
el camino del canto,
que encuentran en el canto
el camino del fuego,
que encuentran en el fuego
el camino del alba,
que encuentran en el alba un gallo rojo,
de pólvora, un metálico
gallo desparramado el día con sus alas.

Venid, venid y en la alta
torre estaréis, campana y campanero;
estaremos, venid,
metal y huesos juntos que saludan
el fino, el esperado amanecer
de las raíces; el tremendo hallazgo
de una súbita estrella;
metal y huesos juntos que saludan
la paloma de vuelo popular
y verde ramo en el aire sin dueño;
el carro ya de espigas
lleno recién cortadas;
la presencia esencial
del acero y la rosa:
metal y huesos juntos que saludan
la procesión final, el ancho séquito
de la victoria.
                        Entonces llegará,
General de las Cañas, con su sable
hecho de un gran relámpago bruñido;
entonces llegará,
jinete en un caballo de agua y humo,
lenta sonrisa en el saludo lento;
entoces llegará para decir,
Jesús, para decir:

—Mirad, he aquí el azúcar ya sin lágrimas.
Para decir:
—He vuelto, no temáis.
Para decir:
—Fue largo el viaje y áspero el camino.
Creció un árbol con sangre de mi herida.
Canta desde él un pájaro a la vida.
La mañana se anuncia con un trino.

El aeroplano y otros poemas

El aeroplano

Cuando pase esta época
y se queme en la llama de los siglos
toda nuestra documentación humana;
cuando no exista ya la clave
de nuestro progreso actual,
y con la paciencia del que no sabe
el hombre tenga que volver a empezar,
entonces aparecerán
rasgos de nuestra muerta civilización.

¿Qué dirán los naturalistas del futuro
ante una armazón de aeroplano
desenterrada en cualquier llanura,
o en la cumbre de una montaña,
mohosa, fosilizada,
monumental, incomprensible, extraña?
De seguro que harán
muchísimos aspavientos

y clasificarán el aeroplano
entre los ejemplares de una fauna extinguida.

                              (*Poemas de transición*, 1927-1931)

Sol de lluvia

Después del agua, el sol entreabre un ojo
y se queda mirando el paisaje:
El sol está borracho
tendido en medio de la calle.

El perro que pasa le lame la cara;
el policía lo arrastra en vano,
y las gallinas, escarbando
sobre la tierra rural, lo llenan de fango.

Se pone en pie por fin
y sacudiéndose sin prisa,
ante la expectación de los chiquillos
dobla la esquina.

                              (*Poemas de transición*, 1927-1931)

Reloj

Me gustan ciertas horas, como las tres menos cuarto,
porque el reloj parece que tiene
una actitud fraterna, acogedora,
como si fuera a darnos un abrazo.

El tiempo, así, es un Cristo en agonía
que por la herida del costado
va desangrándose sutilmente
entre el Futuro y el Pasado.

                              (*Poemas de transición*, 1927-1931)

Lluvia

Bajo el cielo plomizo
de la tarde lluviosa,
llora el agua con lágrima
monótona.

Miro tras los cristales
las ramas temblorosas
enjoyarse con sartas
de gotas.

Se desbordó el arroyo,
inundó cuatro chozas.
(A mí me sobresalta la odisea de esta hormiga,
ahogada en una rosa.)

(*Poemas de transición,* 1927-1931)

Canción filial

Padre: Lo único cierto
es que tú no estás muerto.

Otros, tienen sus dioses, sus amigos lejanos;
otros tienden las manos
abiertas hacia verdes promesas imposibles,
y esperan, recostados sobre la piedra dura
de la paciencia, el pan de la dicha futura
y el agua de venturas risibles.
Están sobre el camino polvoriento
deshojando sus preces en el viento;
lamiendo las sandalias de las vírgenes,
encendiéndoles velas a los santos
y adulando una suerte de seres vengativos
a quienes, desde luego,
les da lo mismo, en suma, ser amables o esquivos.
(Eso, si es que conocen todos nuestros quebrantos.)

Yo, no. Yo sólo tengo
tu sombra inteligente;
tu sombra, que vigila
con atenta pupila
todas las tempestades que rugen tras mi frente;
tu sombra, que me enseña las sendas en la Senda;
la que lleva mi potro cerrero de la brida;
la que acampa conmigo después junto a mi tienda
y mis camellos y tesoros cuida.

Quizás no sepas, padre, que cuando tú partiste
yo empezaba a ser triste.
Ya estaba frente al vasto pizarrón de las cosas,
con su sistema de ecuaciones odiosas,
la tiza que me diste, en la mano,
y la frente fruncida,
tratando de arrancarle, en vano,
su incógnita a la Vida.
Pero yo sé que ahora me estás viendo, querido.
Sé que estás a mi lado,
seguramente empeñado
en que aprovechemos el tiempo perdido.
Por eso eres, padre, el único a quien pido.
Lo que yo quiero es esto
(bien poco; ya tú sabes que siempre fui modesto):

Tú, que no duermes, vela mi pobrecito sueño;
tú, que eres fuerte, dame tu ayudita en la carga;
tú, que eres ágil sobre tu propia senda larga,
ponme fibras de amianto para mi duro empeño.

Hazme franco, sencillo, luminoso, risueño,
ya si el placer me aniña, ya si el dolor me embarga;
vierte tu miel de abejas sobre mi copa amarga
¡y sobre todo, padre, hazme mi propio dueño!

Tenme siempre a tu lado como antes me tenías,
disimula mis faltas, vibra en mis alegrías;
cuida de que nos dure para siempre mamá.

Envuélveme en ti mismo, ya que no puedo verte,
y espérame en la hora confusa de la muerte
para que me acompañes...
                              ¡Hasta luego, papá!

                              (*Poemas de transición*, 1927-1931)

Elegía moderna del motivo cursi

No sé lo que tú piensas, hermano, pero creo
que hay que educar la Musa desde pequeña en una
fobia sincera contra las cosas de la Luna,
satélite cornudo, desprestigiado y feo.

Edúcala en los parques, respirando aire libre,
mojándose en los ríos y secándose al sol;
que sude, que boxee, que se exalte, que vibre,
que apueste en las carreras y que juegue hand ball.

Tú dirás que el consejo es pura «pose», ¿no es eso?
Pues no, señor, hermano. Lo que ocurre es que aspiro
a eliminar el tipo de la mujer-suspiro,
que está dentro del mundo como un pájaro preso.

Por lo pronto, mi musa ya está hecha a mi modo.
Fuma. Baila. Se ríe. Sabe algo de derecho,
es múltiple en la triste comunidad del lecho
y dulce cuando grito, blasfemo o me incomodo.

Por otra parte, cierro mi jardín de tal suerte
que no hay allí manera de extasiarse en la Luna.
(Por la noche, el teatro, el cabaret, o alguna
recepción...) Y así vivo considerado y fuerte.

                              (*Poemas de transición*, 1927-1931)

Odas mínimas

REGRESO

Hoy
tengo ganas de cantar:
«Al ánimo, al ánimo,
la fuente se rompió...»

O si no:
«Matandile, dile, dile,
matandile, dilendó...»

¡Hoy
tengo ganas
de volver a empezar!

MAR

Ahora
está inédito,
nuevo,
sin estrenar,
el Mar.

PROPÓSITO

Esta noche,
cuando la Luna salga,
la cambiaré en pesetas.
Pero me dolería que se supiera,
porque es un viejo
recuerdo
de familia.

HUMO(R) VERDE

Le propongo
«Humo en la lejanía».

(Título para un cuento,
una novela,
una elegía.)

CONDICIONAL

Si me gustaran más las rubias
pues le diría que sí,
que puede usted quererme.

FALLO

Nunca, en ningún poema
he puesto la palabra *bicicleta*;
para llenar ese tremendo fallo,
aquí está: bi-ci-cle-ta.

(*Poemas de transición,* * 1927-1931)

Guitarra

A Francisco Guillén.

Tendida en la madrugada,
la firme guitarra espera:
Voz de profunda madera
desesperada.

Su clamorosa cintura,
en la que el pueblo suspira,
preñada de son, estira
la carne dura.

---

* Los poemas inéditos «Humo(r) verde», «Condicional» y
«Fallo», aunque fueron escritos en fecha muy posterior, han sido
incluidos en el presente volumen por su naturaleza común con
los que, inicialmente, integraron las «Odas mínimas». (*N. del E.*)

Arde la guitarra sola,
mientras la luna se acaba;
arde libre de su esclava
bata de cola.

Dejó al borracho en su coche,
dejó el cabaret sombrío,
donde se muere de frío,
noche tras noche,

y alzó la cabeza fina,
universal y cubana,
sin opio, ni mariguana,
ni cocaína.

¡Venga la guitarra vieja,
nueva otra vez al castigo
con que la espera el amigo,
que no la deja!

Alta siempre, no caída,
traiga su risa y su llanto,
clave las uñas de amianto
sobre la vida.

Cógela tú, guitarrero,
límpiale de alcol la boca,
y en esa guitarra, toca
tu son entero.

El son del querer maduro,
tu son entero;
el del abierto futuro,
tu son entero;
el del pie por sobre el muro,
tu son entero...

Cógela tú, guitarrero,
límpiale de alcol la boca,

y en esa guitarra, toca
tu son entero.

                                (*El son entero*, 1947)

Ébano real

Te vi al pasar, una tarde,
ébano, y te saludé:
Duro entre todos los troncos,
duro entre todos los troncos,
tu corazón recordé.

                Arará, cuévano,
                arará sabalú.

—Ébano real, yo quiero un barco,
ébano real, de tu negra madera...
Ahora no puede ser,
espérate, amigo, espérate,
espérate a que me muera.

                Arará, cuévano,
                arará sabalú.

—Ébano real, yo quiero un cofre,
ébano real, de tu negra madera...
Ahora no puede ser,
espérate, amigo, espérate,
espérate a que me muera.

                Arará, cuévano,
                arará sabalú.

—Ébano real, yo quiero un techo,
ébano real, de tu negra madera...
Ahora no puede ser,
espérate, amigo, espérate,
espérate a que me muera.

Arará, cuévano,
arará sabalú.

—Quiero una mesa cuadrada
y el asta de mi bandera;
quiero mi pesado lecho,
quiero mi lecho pesado,
ébano, de tu madera,
ay, de tu negra madera...
Ahora no puede ser,
espérate, amigo, espérate,
espérate a que me muera.

Arará, cuévano,
arará sabalú.

Te vi al pasar, una tarde,
ébano, y te saludé:
Duro entre todos los troncos,
duro entre todos los troncos,
tu corazón recordé.

(*El son entero*, 1947)

Palma sola

La palma que está en el patio
nació sola;
creció sin que yo la viera,
creció sola;
bajo la luna y el sol,
vive sola.

Con su largo cuerpo fijo,
palma sola;
sola en el patio sellado,
siempre sola,

guardián del atardecer,
sueña sola.

La palma sola soñando,
palma sola,
que va libre por el viento,
libre y sola,
suelta de raíz y tierra,
suelta y sola;
cazadora de las nubes,
palma sola,
palma sola,
palma.

(*El son entero*, 1947)

Pero que te pueda ver

Si es que me quieres matar,
no esperes a que me duerma,
pues no podré despertar.
Muerto,
ay, muerto y también dormido,
no es ni morir ni soñar,
no es ni recuerdo ni olvido.
Muerto,
ay, muerto y también dormido.

Mátame al amanecer,
o de noche, si tú quieres;
pero que te pueda ver
la mano;
pero que te pueda ver
las uñas;
pero que te pueda ver
los ojos,
pero que te pueda ver.

(*El son entero*, 1947)

Ácana

Allá dentro, en el monte,
donde la luz acaba,
allá en el monte adentro,
ácana.

Ay, ácana con ácana,
con ácana;
ay, ácana con ácana.
El horcón de mi casa.

Allá dentro, en el monte,
ácana,
bastón de mis caminos,
allá en el monte adentro...

Ay, ácana con ácana
con ácana;
ay, ácana con ácana.

Allá dentro, en el monte,
donde la luz acaba,
tabla de mi sarcófago,
allá en el monte adentro...

Ay, ácana con ácana,
con ácana;
ay, ácana con ácana...
Con ácana.

                                        (*El son entero*, 1947)

Iba yo por un camino

Iba yo por un camino,
cuando con la Muerte di.
—¡Amigo! —gritó la Muerte—,

pero no le respondí,
pero no le respondí;
miré no más a la Muerte,
pero no le respondí.

Llevaba yo un lirio blanco,
cuando con la Muerte di.
Me pidió el lirio la Muerte,
pero no le respondí,
pero no le respondí;
miré no más a la Muerte,
pero no le respondí.

Ay, Muerte,
si otra vez volviera a verte,
iba a platicar contigo
como un amigo:
Mi lirio, sobre tu pecho,
como un amigo:
Mi beso, sobre tu mano,
como un amigo;
yo, detenido y sonriente,
como un amigo.

(*El son entero*, 1947)

Arte poética

Conozco la azul laguna
y el cielo doblado en ella.
Y el resplandor de la estrella.
Y la luna.

En mi chaqueta de abril
prendí una azucena viva,
y besé la sensitiva
con labios de toronjil.

Un pájaro principal
me enseñó el múltiple trino.
Mi vaso apuré de vino.
Sólo me queda el cristal.

¿Y el plomo que zumba y mata?
¿Y el largo encierro?
¡Duro mar y olas de hierro,
no luna y plata!

El cañaveral sombrío
tiene voraz dentadura,
y sabe el astro en su altura
de hambre y frío.

Se alza el foete mayoral.
Espaldas hiere y desgarra.
Ve y con tu guitarra
dilo al rosal.

Dile también del fulgor
con que un nuevo sol parece:
En el aire que la mece
que aplauda y grite la flor.

(*La paloma de vuelo popular*, 1958)

Un largo lagarto verde

Por el Mar de las Antillas
(que también Caribe llaman)
batida por olas duras
y ornada de espumas blandas,
bajo el sol que la persigue
y el viento que la rechaza,
cantando a lágrima viva
navega Cuba en su mapa:
Un largo lagarto verde,
con ojos de piedra y agua.

Alta corona de azúcar
le tejen agudas cañas;
no por coronada libre,
sí de su corona esclava:
Reina del manto hacia fuera,
del manto adentro, vasalla,
triste como la más triste
navega Cuba en su mapa:
Un largo lagarto verde,
con ojos de piedra y agua.

Junto a la orilla del mar,
tú que estás en fija guardia,
fíjate, guardián marino,
en la punta de las lanzas
y en el trueno de las olas
y en el grito de las llamas
y en el lagarto despierto
sacar las uñas del mapa:
Un largo lagarto verde,
con ojos de piedra y agua.

(*La paloma de vuelo popular,* 1958)

Deportes

¿Qué sé yo de boxeo,
yo, que confundo el jab con el upper cut?
Y, sin embargo, a veces
sube desde mi infancia
como una nube inmensa desde el fondo de un valle,
sube, me llega Johnson,
el negro montañoso,
el dandy atlético magnético de betún.
Es un aparecido familiar,
melón redondo y cráneo,
sonrisa de abanico de plumas
y la azucena prohibida
que hacía rabiar a Lynch.

O bien, si no, prcibo un rayo de la gloria
de Wills y Carpentier; o de la gloria
de Sam Langford... Gloria de cuando ellos
piafaban en sus guantes, relinchaban,
altos los puros cuellos,
húmedo el ojo casto
y la feroz manera
de retozar en un pasto
de soga y de madera.

Mas sobre todo, pienso
en Kind Charol, el gran rey sin corona,
y en Chocolate, el gran rey coronado,
y en Black Bill, con sus nervios de goma.
Yo, que confundo el jab con el upper cut,
canto el cuero, los guantes,
el ring... Busco palabras,
las robo a los cronistas deportivos
y grito entonces: ¡Salud, músculo y sangre,
victoria vuestra y nuestra!
Héroes también, titanes.
Sus peleas
fueron como claros poemas.
¿Pensáis tal vez que yo no puedo decir tanto,
porque confundo el jab con el upper cut?
¿Pensáis que yo exagero?
Junto a los yanquis y el francés,
los míos, mis campeones
de amargos puños y sólidos pies,
son sus iguales, son
como espejos que el tiempo no empaña,
mástiles másculos donde también ondea
nuestra bandera al fúlgido y álgido viento que
        sopla en la montaña.

¿Qué sé yo de ajedrez?
Nunca moví un alfil, un peón.
Tengo los ojos ciegos

para el álgebra, los caracteres griegos
y ese tablero filosófico
donde cada figura es
una interrogación.
Pero recuerdo a Capablanca, me lo recuerdan.
En los caminos
me asaltan voces como lanzas.
—Tú, que vienes de Cuba, ¿no has visto a Capablanca?
(Yo respondo que Cuba
se hunde en los ríos como un cocodrilo verde.)
—Tú, que vienes de Cuba, ¿cómo era Capablanca?
(Yo respondo que Cuba
vuela en la tarde como una paloma triste.)
—Tú, que vienes de Cuba, ¿no vendrá Capablanca?
(Yo respondo que Cuba
suena en la noche como una guitarra sola.)
—Tú, que vienes de Cuba, ¿dónde está Capablanca?
(Yo respondo que Cuba es una lágrima.)

Pero las voces me vigilan,
me tienden trampas, me rodean
y me acuchillan y desangran;
pero las voces se levantan
como unas duras, finas bardas;
pero las voces se deslizan
como serpientes largas, húmedas;
pero las voces me persiguen
como alas...

Así pues Capablanca
no está en su trono, sino que anda,
camina, ejerce su gobierno
en las calles del mundo.
Bien está que nos lleve
de Noruega a Zanzíbar,
de Cáncer a la nieve.
Va en un caballo blanco,
caracoleando
sobre puentes y ríos,

junto a torres y alfiles,
el sombrero en la mano
(para las damas),
la sonrisa en el aire
(para los caballeros)
y su caballo blanco
sacando chispas puras
del empedrado...

Niño, jugué al béisbol.
Amé a Rubén Darío, es cierto,
con sus violentas rosas
sobre todas las cosas.
Él fue mi rey, mi sol.
Pero allá en lo más alto de mi sueño
un sitio puro y verde guardé siempre
para Méndez, el pitcher —mi otro dueño.

No me miréis con esos ojos.
¿Me pemitís que ponga,
junto al metal del héroe
y la palma del mártir,
me permitís que ponga
estos nombres sin pólvora y sin sangre?

(*La paloma de vuelo popular*, 1958)

Exilio

El Sena
discurre circunspecto;
civilizada linfa
que saluda en silencio
sacándose el sombrero.
Mi patria en el recuerdo
y yo en París clavado
como un blando murciélago.

¡Quiero
el avión que me lleve,
con sus cuatro motores
y un solo vuelo!

Brilla sangre en el pecho
de esa nube que pasa
lenta en el bajo cielo.
Va de negro. La hieren
cuatro cuchillos nuevos.
Viene del Mar Caribe,
pirata mar caníbal,
duro mar de ojos ciegos
y asesinado sueño.
¡Volver con esa nube
y sus cuatro cuchillos
y su vestido negro!

(*La paloma de vuelo popular,* 1958)

Ríos

Tengo del Rin, del Ródano, del Ebro,
tengo los ojos llenos;
tengo del Tíber y del Támesis,
tengo del Volga, del Danubio,
tengo los ojos llenos.

Pero yo sé que el Plata,
pero yo sé que el Amazonas baña;
yo sé que el Misisipi,
pero yo sé que el Magdalena baña;
yo sé que el Almendares,
pero yo sé que el San Lorenzo baña;
yo sé que el Orinoco,
pero yo sé que bañan
tierras de amargo limo donde mi voz florece
y lentos bosques presos en sangrientas raíces.

¡Bebo en tu copa, América,
en tu copa de estaño,
anchos ríos de lágrimas!

Dejad, dejadme,
dejadme ahora junto al agua.

(*La paloma de vuelo popular*, 1958)

Bares

Amo los bares y tabernas
junto al mar,
donde la gente charla y bebe
sólo por beber y charlar.
Donde Juan Nadie llega y pide
su trago elemental,
y están Juan Bronco y Juan Navaja
y Juan Narices y hasta Juan
Simple, el sólo, el simplemente
Juan.

Allí la blanca ola
bate de la amistad;
una amistad de pueblo, sin retórica,
una ola de ¡hola! y ¿cómo estás?
Allí huele a pescado,
a mangle, a ron, a sal
y a camisa sudada puesta a secar al sol.

Búscame, hermano, y me hallarás
(en La Habana, en Oporto,
en Jacmel, en Shanghai)
con la sencilla gente
que sólo por beber y charlar
puebla los bares y tabernas
junto al mar.

(*La paloma de vuelo popular*, 1958)

Tres canciones chilenas

1

CHILE

Chile: Una rosa de hierro,
fija y ardiente en el pecho
de una mujer de ojos negros.
                    —Tu rosa quiero.
                    (De Antofagasta vengo,
                    voy para Iquique;
                    tan sólo una mirada
                    me ha puesto triste.)

Chile: El salitral violento.
La pampa de puño seco.
Una bandera de fuego.
                    —Tu pampa quiero.
                    (Anduve caminando
                    sobre el salitre;
                    la Muerte me miraba,
                    yo estaba triste.)

Chile: Tu verde silencio.
Tu pie sur en un estrecho
zapato de espuma y viento.
                    —Tu viento quiero.
                    (*El ovejero ladra,
                    la tropa sigue;
                    la oveja mira al perro
                    con ojos tristes.*)

Chile: Tu blanco lucero.
Tu largo grito de hielo.
Tu cueca de polvo pueblo.
                    —Tu pueblo quiero.

(En la cresta de un monte
la luna gime;
agua y nieve le lavan
la frente triste.)

2

CERRO DE SANTA LUCÍA

Santiago de Chile

¡Cerro de Santa Lucía,
tan culpable por la noche,
tan inocente de día!

En el Cerro, en un banco
junto al Museo,
ay, ayer te veía
y hoy no te veo.
¡Quién me dijera
que iba a pasar un día
sin que te viera!

Por un caminito
que sólo yo sé,
va el Arcángel, ángel,
Arcángel Gabriel.
En el alto cerro
media noche es;
en mí la mañana
comienza a nacer.

Pasó a nuestro lado
cuando la besé.
¡Qué roto (gritaba)
qué roto es usted!
¿Y usted, don Arcángel,
(luego repliqué),

qué busca a estas horas,
sin alas y a pie,
por este camino
que sólo yo sé?
No busco (me dijo),
que ya la encontré,
a la virgen virgen
que ayer se nos fue
con un ángel ángel
más grande que usted.

¡Cerro de Santa Lucía,
tan culpable por la noche,
tan inocente de día!

3

PANIMÁVIDA

En Chile hallé palabras
de lluvia y nieve intacta,
mas ninguna tan clara...
            —Panimávida.

Va por las rocas; salta.
De espumas se empenacha.
Luego duerme y se estanca.
            —Panimávida.

O bien su antigua llama
muestra como una lágrima
en la noche araucana.
            —Panimávida.

En Chile hallé palabras
de lluvia y nieve intacta,
mas ninguna tan clara...
            —Panimávida.

                    (*La paloma de vuelo popular*, 1958)

Epitafio para Lucía

Murió callada y provincial. Tenía
llenos los ojos de paz fría,
de lluvia lenta y lenta melodía.
Su voz, como un cristal esmerilado,
anunciaba un resplandor encerrado.
Se llamó, la llamaban vagamente Lucía.
(En este breve mármol ha quedado
toda su biografía.)

(*La paloma de vuelo popular*, 1958)

Tres poemas mínimos

1

BRIZNA, PEQUEÑO TALLO...

Brizna, pequeño tallo
verde, en la tierra oscura:
¿De qué selva minúscula
eres baobab, de cuántos
pájaros-pulgas guardan
nidos tus fuertes ramas?
Brizna, pequeño tallo
verde, en la tierra oscura,
yo durmiendo a tu sombra,
para soñar echado
bajo la luna.

2

BRISA QUE APENAS MUEVES

Brisa que apenas mueves
las flores, sosegada,
fino aliento del carmen
que blandamente pasas,
ven y empuja mi barca,
presa en el mar inmóvil.
Llévame, poderosa,
en tus mínimas alas,
oh, brisa, fino aliento,
brisa que apenas mueves
las flores, sosegada.

3

PUNTO DE LUZ, SUSPENSO LAMPO...

Punto de luz, suspenso
lampo, remota estrella,
tú, sol de otros planetas,
bien que apenas te veo,
allá lejos, lejísimo,
muy lejos,
¿podré pedirte el fuego,
la luz y que madures
mis frutos, oh suspenso
lampo, remota estrella,
tú, sol de otros planetas?

(*La paloma de vuelo popular*, 1958)

¿Puedes?

¿Puedes venderme el aire que pasa entre tus dedos
y te golpea la cara y te despeina?
¿Tal vez podrías venderme cinco pesos de viento,
o más, quizás venderme una tormenta?
¿Acaso el aire fino
me venderías, el aire
(no todo) que recorre
en tu jardín corolas y corolas,
en tu pardín para los pájaros,
diez pesos de aire fino?

            El aire gira y pasa
            en una mariposa.
            Nadie lo tiene, nadie.

¿Puedes venderme cielo,
el cielo azul a veces,
o gris también a veces,
una parcela de tu cielo,
el que compraste, piensas tú, con los árboles
de tu huerto, como quien compra el techo con la casa?
¿Puedes venderme un dólar
de cielo, dos kilómetros
de cielo, un trozo, el que tú puedas,
de tu cielo?

            El cielo está en las nubes.
            Altas las nubes pasan.
            Nadie las tiene, nadie.

¿Puedes venderme lluvia, el agua
que te ha dado tus lágrimas y te moja la lengua?
¿Puedes venderme un dólar de agua
de manantial, una nube preñada,
crespa y suave como una cordera,
o bien agua llovida en la montaña,
o el agua de los charcos

abandonados a los perros,
o una legua de mar, tal vez un lago,
cien dólares de lago?

El agua cae, rueda.
El agua rueda, pasa.
Nadie la tiene, nadie.

¿Puedes venderme tierra, la profunda
noche de las raíces; dientes
de dinosaurios y la cal
dispersa de lejanos esqueletos?
¿Puedes venderme selvas ya sepultadas, aves muertas,
peces de piedra, azufre
de los volcanes, mil millones de años
en espiral subiendo? ¿Puedes
venderme tierra, puedes
venderme tierra, puedes?

La tierra tuya es mía.
Todos los pies la pisan.
Nadie la tiene, nadie.

(*Tengo,* 1964)

Balada

Ay, venga, paloma, venga
y cuénteme usted su pena.

—Pasar he visto a dos hombres
armados y con banderas;
el uno en caballo moro,
el otro en potranca negra.
Dejaran casa y mujer,
partieran a lueñes tierras;
el odio los acompaña,
la muerte en las manos llevan.

¿Adónde vais?, preguntéles,
y ambos a dos respondieran:
Vamos andando, paloma,
andando para la guerra.
Así dicen, y después
con ocho pezuñas vuelan,
vestidos de polvo y sol,
armados y con banderas,
el uno en caballo moro,
el otro en potranca negra.

Ay, venga, paloma, venga
y cuénteme usted su pena.

—Pasar he visto a dos viudas
como jamás antes viera,
pues que de una misma lágrima
estatuas parecen hechas.
¿Adónde vais, mis señoras?,
pregunté a las dos al verlas.
Vamos por nuestros maridos,
paloma, me respondieran.
De su partida y llegada
tenemos amargas nuevas;
tendidos están y muertos,
muertos los dos en la hierba,
gusanos ya sobre el vientre
y buitres en la cabeza,
sin fuego las armas mudas
y sin aire las banderas;
se espantó el caballo moro,
huyó la potranca negra.

Ay, venga, paloma, venga
y cuénteme usted su pena.

(*La paloma de vuelo popular*, 1958)

Escarabajos

Vean los escarabajos.
El de la India,
vientre de terracota y alas de fieltro azul.
Los gemelos, de cobre y gutapercha.
El imperial de Holanda
originario de Sumatra *(cobre solo)*.
El de lava volcánica
hallado en una tumba azteca.
El Gran Párpado de pórfido.

El de oro
(donación especial de Edgar Poe)
se nos murió.

(*El gran zoo,* 1967)

La Pajarita de Papel

Sola, en su jaula mínima,
dormitando,
la Pajarita de Papel.

(*El gran zoo,* 1967)

La Osa Mayor

Ésta es la Osa Mayor.
Cazada en junio 4, 64,
por un sputnik cazador.
*(No tocar las estrellas
de la piel.)*
          Se solicita
un domador.

(*El gran zoo,* 1967)

El Aconcagua

El Aconcagua. Bestia
solemne y frígida. Cabeza
blanca y ojos de piedra fija.

Anda en lentos rebaños
con otros animales semejantes
por entre rocallosos desamparos.

En la noche,
roza con belfo blando
las manos frías de la luna.

(*El gran zoo,* 1967)

Los ríos

He aquí la jaula de las culebras.
Enroscados en sí mismos,
duermen los ríos, los sagrados ríos.
El Mississippi con sus negros,
el Amazonas con sus indios.
Son como los zunchos poderosos
de unos camiones gigantescos.

Riendo, los niños les arrojan
verdes islotes vivos,
selvas pintadas de papagayos,
canoas tripuladas
y otros ríos.

Los grandes ríos despiertan,
se desenroscan lentamente,
engullen todo, se hinchan, a poco más revientan,
y vuelven a quedar dormidos.

(*El gran zoo,* 1967)

Señora

Esta señora inmensa
fue arponeada en la calle.

Sus pescadores arrojados
se prometían el aceite,
los bigotes delgados y flexibles,
la grasa... *(Descuartizarla sabiamente.)*

Aquí está.

Convalece.

(El gran zoo, 1967)

AL PÚBLICO

Avio-mamut

(Nota al pie de una foto al aire libre, de 3 ½ m.
de altura por 2 de ancho, que figura en el
Gran Zoo.)

No era
la ruina de una avioneta,
como en un principio se creyó.
Era la osamenta
seca y abandonada de un mamut niño,
muerto en algún sitio de Siberia
y que un excursionista descubrió.

La avioneta es un ser mecánico,
y un gran sabio probó
que la osamenta tenía colmillos,
animal con más de un título
para estar en el Gran Zoo.

Pero como aquí
sólo se admiten seres vivos,
se ha dejado esta simple información,
con una foto de la pieza,
llamada *avio-mamut* de un modo ecléctico
para evitar cualquier otra discusión.

(*El gran zoo*, 1967)

La sed

Esponja de agua dulce,
la sed.
Espera un río, lo devora.
Absorbe un aguacero.
Estrangula
con una cinta colorada.
¡Atención! ¡Las gargantas!

(*El gran zoo*, 1967)

Institutriz

Catedrática.
Enseña inglés y álgebra.

Oxford.

Ramonea
hojillas tiernas, altas.
Casta, mas relativamente.

(*Ama en silencio a un alumno elefante.*)

Nombre común: Jirafa.

(*El gran zoo*, 1967)

Las nubes

El nubario.
Capacidad: ochenta y cuatro nubes.
Una experiencia nueva, porque hay
nubes de todo el día
y de muchos países diferentes.
(La Dirección anuncia más.)

Larguilenguas de pájaro,
rojizas,
las matutinas
hechas al poco sueño labrador
y a las albas vacías.
Detenidas,
de algodón seco y firme,
las matronales fijas del mediodía.
Como serpientes encendidas
las que anuncian a Véspero.
Curiosidad: Las hay de Uganda,
movidas por los vientos del gran lago Victoria.
Las del Turquino, bajas.
Las de los Alpes Marítimos.

Las del Pico Bolívar.
Negras, de gordas tetas,
las de tormenta.

También nubes románticas,
como por ejemplo las que empañan
el cielo del amor. Las coloreadas
de hace sesenta años
en los augurios de Noel.
Nubes con ángeles.
Nubes con formas de titán,
de mapas conocidos *(Inglaterra)*,
de canguro, león.
En fin, un cargamento respetable.

Sin embargo,
las de raza *Polar,* rarísimas,
no hubo manera de traerlas vivas.
Llegaron en salmuera, expresamente
de Groenlandia, Noruega, Terranova.
*(La Dirección ha prometido
exhibirlas al público en vitrinas.)*

(El gran zoo, 1967)

El tigre

Anda preso en su jaula
de duras rayas negras.
El metal con que ruge
quema, está al rojo blanco.
*(Un gángster.
El instinto sexual.
Un boxeador.*

*Un furioso de celos.
Un general.
El puñal del amor.)*

Tranquilizarse.
Un tigre
real.

(El gran zoo, 1967)

Los vientos

Usted no puede imaginar
cómo andaban estos vientos anoche.
Se les vio,
los ojos centelleantes,
largo y rígido el rabo.

Nada pudo desviarlos
(*ni oraciones ni votos*)
de una choza, de un barco solitario,
de una granja,
de todas esas cosas necesarias
que ellos destruyen sin saberlo.

Hasta que en mañana los trajeron atados,
cogidos por sorpresa,
lentos enamorados,
cuando vagaban pensativos
junto a un campo de dalias.

(*Esos de allí, a la izquierda,
dormidos en sus jaulas.*)

(*El gran zoo*, 1967)

Ave-Fénix

Ésta es la jaula destinada
a la resurrección del Ave-Fénix.
(*En diciembre llegarán sus cenizas.*)

(*El gran zoo*, 1967)

El cangrejo

El terrible cangrejo que devora
senos, páncreas, próstatas,
hunde sus patas de insistencia fija
en un gran útero de plástico.
Destino limitado, pues no tiene
carne de estreno que morder,
linfa potable o sangre.

Tal vez no se ha querido
ofrecer todo el cuadro.
El Zoo, sin embargo,
brinda lo principal, ni más ni menos
que en otras importantes capitales.

A la derecha, junto al gángster.

(*El gran zoo,* 1967)

Papaya

La papaya.
Animal
vegetal.
No es cierto
que conozca el pecado original.
Cuanto se diga,
mírenla,
es pura coincidencia. Sucia
literatura
que han padecido por igual
la calabaza y la sandía.
Cosas, en fin, de la abstinencia
(*senil o juvenil*)
sexual.

(*El gran zoo,* 1967)

Luna

Mamífero metálico. Nocturno.

Se le ve
el rostro comido por un acné.

Sputniks y sonetos.

(*El gran zoo,* 1967)

Tenor

Está el tenor en éxtasis
contemplando el tenor
del espejo, que es el mismo tenor
en éxtasis
que contempla el tenor.

Sale a veces a pasear por el mundo
llevado de un bramante de seda,
aplaudido en dólares,
tinta de imprenta
y otras sustancias gananciales.
(Aquí en el Zoo le molesta
cantar por la comida
y no es muy generoso con sus arias.)
Milán Scala.
New York Metropolitan.
Ópera de París.

(*El gran zoo*, 1967)

Reloj

Quiróptero
de una paciencia extraordinaria
no exenta de crueldad,
sobre todo
con los ajedrecistas y los novios.

Sin embargo,
es cordial a las 3 menos ¼
tanto como a las 9 y 15, los únicos momentos
en que estaría dispuesto a darnos un abrazo.

(*El gran zoo*, 1967)

Aviso
Gran Zoo de La Habana

Museo de prehistoria abierto al público —todos los días menos los domingos—. Idiomas: español, inglés y ruso.

Se avisa la llegada
de nuevos ejemplares, a saber:
La gran paloma fósil del jurásico,
en la que son visibles todavía
sus dos dispositivos lanzabombas.
Hay una colección de hachas atómicas,
máscaras rituales de forma antiaerolítica
y macanas de sílex radioactivo.
Finalmente, un avión
(*el tan buscado caza del plioceno*)
que es una pieza de excepción.

La Habana, junio 5.

EL DIRECTOR
(*El gran zoo*, 1967)

El sueño

Esta mariposa nocturna
planea sobre nuestra cabeza
como el buitre sobre la carroña.
(*El ejemplar*
que aquí exhibimos es el sueño vulgar.)

Sin embargo,
La Dirección promete para fines de año,
o más pronto, tal vez,
remesas escogidas de sueños
así en hombre como en mujer.

Cinco cajas de moscas tse-tsé
fueron pedidas anteayer.

(*El gran zoo*, 1967)

La estrella polar

Se descongela sin remedio
la Estrella Polar.
Diez millones, y aún más
diarios de toneladas
(*hielo, luz fría, gas*)
pierde de su estructura
este inmenso animal.

En los sitios vacíos
verán,
miren ustedes hacia allá,
cómo nuestro equipo restaurador
va colocando masas de algodón.

Pero eso no puede bastar
y dentro de cuatro siglos a lo sumo
los navegantes tendrán
que andar a tientas por el mar.

¡Qué responsabilidad!
El animal que más nos cuesta
y el que menos se puede conservar.

(*El gran zoo,* 1967)

Salida

Aquí termina la visita de hoy.
Mañana será otro día
y volveremos al Gran Zoo.

Seguir la flecha.
Al fondo (*izquierda*)
SALIDA
EXIT
SORTIE

(*El gran zoo,* 1967)

El cosmonauta

El cosmonauta, sin saberlo,
arruina el negocio del mito
de Dios sentado atento y fijo
en un butacón inmenso.

¿Qué se han hecho los Tronos y Potencias?
¿Dónde están los Castigos y Obediencias?
¿Y san Crescencio y san Bitongo?
¿Y san Cirilo Zangandongo?
¿Y el fumazo del incienso?
¿Y la fulígine de la mirra?
¿Y las estrellitas pegadas
al cristal ahumado nocturno?
¿Y los arcángeles y los ángeles,
y los serafines y los querubines,
y las Dominaciones en sus escuadrones,
y las vírgenes,
y todos los demás animales afines?

El cosmonauta
sigue su pauta.

Sube sube sube
sube sube sube
sube sube sube
sube sube sube
sube.

Deja atrás la última nube.
Rompe el último velo.
El Cielo. ¿El Cielo?
Frío.
El vasto cielo frío.
Hay en efecto un butacón,
pero está vacío.

(*La rueda dentada*, 1972)

Digo que yo no soy un hombre puro

Yo no voy a decirte que soy un hombre puro.
Entre otras cosas
falta saber si es que lo puro existe.
O si es, pongamos, necesario.
O posible.
O si sabe bien.
¿Acaso has tú probado el agua químicamente pura,
el agua de laboratorio,
sin un grano de tierra o de estiércol,
sin el pequeño excremento de un pájaro,
el agua hecha no más de oxígeno e hidrógeno?
¡Puah!, qué porquería.

Yo no te digo pues que soy un hombre puro,
yo no te digo eso, sino todo lo contrario.
Que amo (a las mujeres, naturalmente,
pues mi amor puede decir su nombre),
y me gusta comer carne de puerco con papas,
y garbanzos y chorizos, y
huevos, pollos, carneros, pavos,
pescados y mariscos,
y bebo ron y cerveza y aguardiente y vino,
y fornico (incluso con el estómago lleno).
Soy impuro, ¿qué quieres que te diga?
Completamente impuro.
Sin embargo,
creo que hay muchas cosas puras en el mundo
que no son más que pura mierda.
Por ejemplo, la pureza del virgo nonagenario.
La pureza de los novios que se masturban
en vez de acostarse juntos en una posada.
La pureza de los colegios de internado, donde
abre sus flores de semen provisional
la fauna pederasta.
La pureza de los clérigos.
La pureza de los académicos.
La pureza de los gramáticos.

La pureza de los que aseguran
que hay que ser puros, puros, puros.
La pureza de los que nunca tuvieron blenorragia.
La pureza de la mujer que nunca lamió un glande.
La pureza del que nunca succionó un clítoris.
La pureza de la que nunca parió.
La pureza del que no engendró nunca.
La pureza del que se da golpes en el pecho, y
dice santo, santo, santo,
cuando es un diablo, diablo, diablo.
En fin, la pureza
de quien no llegó a ser lo suficientemente impuro
para saber qué cosa es la pureza.

Punto, fecha y firma.
Así lo dejo escrito.

                                        (*La rueda dentada,* 1972)

Sobre la Muerte

La muerte puede llamarse César apuñalado y exangüe,
pero también el amable faisán decorativo y degollado
que murió para presidir la alegría prometedora de esta noche. Es
el perro municipal babeando su estricnina,
que agoniza en la calle rodeado de muchachos. Es
Sócrates rodeado de discípulos. Es
Shelley exánime yacente sobre la arena
húmeda por la última onda fugitiva. Es
el mamut archimilenario
inmóvil y exhibido en su vitrina siberiana de hielo
      inmemorial.

Comemos muerte cada día,
y la muerte nos roe cada noche.
Los poetas, los filósofos
gritan: «Muerte, muerte» —la de ellos.

El buey desamparado
que se disuelve en sangre torrencial
con el brazo del matarife
revolviéndole el pecho, y un dolor
más fuerte que todas las anginas,
¿no es muerte pues?
Quizás la res no sepa nada, pero
¿conoces tú la crispatura de rabia y de impotencia
que hay en un menú?
Saquemos, pongamos en claro nuestras cuentas.
Repartamos la muerte en todo su tamaño:
Del cóndor a la abeja,
del ciervo perseguido y asesinado
al niño que se ahogó en un estanque;
desde el poeta y el filósofo
que gritan: «Muerte, muerte»
(la de ellos)
hasta los que mueren sin saber
qué les sucede, qué les pasa,
qué va a ocurrirles, y ni preguntan
si eso es realmente muerte,
si así es como se muere.

(*La rueda dentada*, 1972)

Retrato del gorrión

El gorrión es un ser municipal,
electoral,
gritón.

Su vestido habitual
es una blusa parda de algodón;
el pantalón
de tela igual.
(No lleva cinturón.)
Por último, glotón.
Señores, qué glotón es el gorrión.

Alimentarse no está mal,
pero hay que tener moderación,
como enseña el Manual
de Buena Educación.

Objeción
capital:
Demasiado normal.
¿No habrá un gorrión
genial?

(*La rueda dentada,* 1972)

Retrato del sinsonte

En la espesura umbría
y en el quieto ganado
y en la cumbre del monte,
todo está preparado
para estrenar el día.
Pero no todavía
su telón colorado
descorre el horizonte...
¿Cómo así, qué ha pasado?

Se retrasó el sinsonte.

(*La rueda dentada,* 1972)

Retrato del tomeguín

El tomeguín me alegra.
Su fino cuello de oro.
Su casaquita negra.
Pero es pena y enojo
ver que el áureo destello
sólo es fiesta del ojo.

En su suave garganta
un opaco murmullo
es la canción que canta.
¡Oh si así no ocurriera
y ese oro del cuello
en el canto se oyera!

(*La rueda dentada,* 1972)

Retrato del zunzún

¿De qué metal está hecho
ese broche, ese temblor,
para prenderse en qué pecho
como un alfiler de amor?

¿Y de qué pluma se viste
ese broche, ese temblor,
para quien la flor existe
como una copa de amor?

¿En qué sueño aún no soñado
ese broche, ese temblor,
es suave guerrero armado
con una espada de amor?

¡De qué modo, cómo hiciera
de ese broche, ese temblor,
un fijo broche que ardiera
en la blusa de mi amor!

(*La rueda dentada,* 1972)

*Proposiciones para explicar
la muerte de Ana*

Ana murió de un tiro en el estómago.
Ana murió de un tiro en su retrato.
Ana murió de dos y dos son cuatro.
Ana murió de un gran relámpago.

Ana murió de tisis y de hongos.
Ana murió de un vuelo de comandos.
Ana murió de hipo y de catarro.
Ana murió de un solo brazo.

Ana murió de su cangrejo moro.
Ana murió de huevos y arroz blanco.
Ana murió de escarabajos.

Ana murió de hallarse sin socorro.
Ana murió de un mal casi romántico.
Ana murió de un sonetazo.

(*La rueda dentada,* 1972)

*Ejercicio de piano con amapola
de siete a nueve de la mañana*

Año de 1910
Método Eslava.

Sobre la quemadura de la amapola
aplícate jazmines, que eso la cura;
si acaso fuese grave la quemadura
usarás la camelia, pero una sola.

Cuando el cielo en verano se tornasola
y ni una nube vaga de cruel blancura,
y el hastío te invade como una impura
serpiente que te aprieta y asfixia y viola,

búscate una muchacha que toque viola,
siempre que de ella sea la partitura,
y quémala tu mismo con amapola;

una muchacha fresca, sonriente y pura,
y dale una camelia, pero una sola,
si acaso fuese grave la quemadura...

(*La rueda dentada,* 1972)

La calle

Poema inconcluso.

La calle es un gran río de aire,
un río de sangre,
de esqueletos
y sueños.

¿No ha visto usted la calle?
Ella es estrecha y ancha
y oscura y rutilante,
silenciosa y alborotada,
pacífica y ¡abajo,
muera el rey!
Con perros, niños, automóviles,
hombres, mujeres, policías,
lodo, piedras,
lluvia, asfalto, todo
lo que usted sabe ya que hay en la calle,
que siempre hay en la calle.

Los edificios la custodian,
la mantienen en línea
como soldados. La vigilan.
Allí se están con ella.
No la abandonan. Viven
seguros de que si la abandonaran,
ella se fugaría.

Mire la calle.
¿Cómo puede usted ser
indiferente a ese gran río
de huesos, a ese gran río

de sueños, a ese gran río
de sangre, a ese gran río?
¿A ese gran río?

Venga usted y acompáñeme.
¿Quiere que abramos la puerta de la calle?
¡Qué gusto ser un hombre simple,
no-senador,
no-diputado,
no-alcalde,
no-líder,
no-profesor,
no-presidente,
no-ministro!
No.
Un hombre simple
para poder andar andando por la calle,
callejeando y andar mirando a todo el mundo,
hablando a todo el mundo,
el mundo universal que no nos pide nada.
Salgo con mi chaqueta
(apenas una ligera piel sobre la piel y el hueso),
sin sombrero,
sin cuello ni corbata.
Simple, lo digo y me repito.

¿Ve usted? Es el carnicero.
Lo saludo, pero aparto
la vista de todos esos cadáveres vacíos,
de todos esos muertos sin venganza que lo ciñen
como un agua rojiza.
¿Qué tal va el carnicero? —le pregunto.
Y él me responde con su voz sangrienta
llena de vísceras corrompidas:
Va bien, su señora llevó hoy la carne muy temprano.
Mire usted esa tienda, mire usted al tendero.
Venga, dice el tendero, venga.
Luego me anuncia que han llegado arenques
ahumados; me presenta

una gran caja de Noruega
llena de peces egipcios momias
llena de peces rectos
duros metálicos brillantes.
En fin, arenques.
Como ando a pie y soy el No-Importante
puedo comprar uno y comerlo
allí mismo
junto al alegre mostrador lleno de moscas,
frente a un vaso de láguer.

¡La calle, ésta es la calle!

Corre un aire fino, seco,
pero lo mismo
podría llover. ¿No ocurre esto en la calle?
Hay sol, es cierto, pero igualmente
podría estar el cielo a flor de tierra,
el aire eléctrico, fosfórico, la turbonada
rezongando, como una vieja
de mal humor al fondo de la casa.
Anda la gente en paz, pero lo mismo
podría correr, moverse
como si fuera un hormiguero que al pasar
irritáramos de un pisotón.

Mire la calle. Vea
el lento río de sangre,
de esqueletos y sueños.
El lento río de huesos.
Mire usted, pasa
ahora el amor hecho un gran beso
rojo, largo, sin fin
bajo los árboles.
Pasa
un niño en pie sobre su escuela.
Pasa un grito lleno de periódicos.
Mire usted hacia allá, vea:
Diez esqueletos juntos entran en un cine.

(La rueda dentada, 1972)

Poemas de amor

Tu recuerdo

Siento que se despega tu recuerdo
de mi mente, como una vieja estampa;
tu figura no tiene ya cabeza
y un brazo está deshecho, como en esas
calcomanías desoladas
que ponen los muchachos en la escuela
y son después, en el libro olvidado,
una mancha dispersa.

Cuando estrecho tu cuerpo
tengo la blanda sensación de que está hecho de estopa.
Me hablas, y tu voz viene de tan lejos
que apenas puedo oírte. Además, ya no te creo.
Yo mismo, ya curado
de la pasión antigua,
me pregunto cómo fue que pude amarte,
tan inútil, tan vana,
tan floja que antes del año

de tenerte en mis brazos
ya te estás deshaciendo
como un jirón de humo;
y ya te estás borrando como un dibujo antiguo,
y ya te me despegas de la mente
como una vieja estampa.

(*Poemas de transición,* 1927-1931)

Piedra pulida

Vendrás cuando el camino te haya dado
su secreto, su voz.
Cuando —piedra pulida—
estés denuda de ti misma,
y tengas la boca amarga,
y apenas te saluden las horas,
cruzadas de brazo.

Entonces, ya no podré hablarte,
porque estarás más sorda que nunca;
pasarás solamente
rodando hacia el abismo:
Te veré hundirte en él,
sonora de saltos
y esperaré que suba
la última resonancia, el postrer eco,
piedra pulida,
desnuda de ti misma.

(*Poemas de transición,* 1927-1931)

Madrigal

Sencilla y vertical,
como una caña en el cañaveral.
Oh retadora del furor
genital:

Tu andar fabrica para el espasmo gritador
espuma equina entre tus muslos de metal.

                                    (*West Indies, Ltd.*, 1934)

Glosa

> No sé si me olvidarás,
> ni si es amor este miedo:
> yo sólo sé que te vas,
> yo sólo sé que me quedo.
>
> ANDRÉS ELOY BLANCO.

1

Como la espuma sutil
en que el mar muere deshecho,
cuando roto el verde pecho
se desangra en el cantil,
no servido, sí servil,
sirvo a tu orgullo no más,
y aunque la muerte me das,
ya me ganes o me pierdas,
sin saber si me recuerdas
no sé si me olvidarás.

2

Flor que sólo una mañana
duraste en mi huerto amado,
del sol herido y quemado
tu cuello de porcelana:
Quiso en vano mi ansia vana
taparte el sol con un dedo;
hoy así a la angustia cedo
y al miedo, la frente mustia...
No sé si es odio esta angustia,
ni si es amor este miedo.

3

¡Qué largo camino anduve
para llegar hasta ti,
y qué remota te vi
cuando junto a mí te tuve!
Estrella, celaje, nube,
ave de pluma fugaz,
ahora que estoy donde estás,
te deshaces, sombra helada:
Ya no quiero saber nada;
yo sólo sé que te vas.

4

¡Adiós! En la noche inmensa
y en alas del viento blando,
veré tu barca bogando,
la vela impoluta y tensa.
Herida el alma y suspensa
te seguiré, si es que puedo;
y aunque iluso me concedo
la esperanza de alcanzarte,
ante esa vela que parte,
yo sólo sé que me quedo.

                                        (*El son entero,* 1947)

Agua del recuerdo

¿Cuándo fue?
No lo sé.
Agua del recuerdo
voy a navegar.

Pasó una mulata de oro,
y yo la miré al pasar:

Moño de seda en la nuca,
bata de cristal,
niña de espalda reciente,
tacón de reciente andar.

Caña
(febril le dije en mí mismo),
caña
temblando sobre el abismo,
¿quién te empujará?
¿Qué cortador con su mocha
te cortará?
¿Qué ingenio con su trapiche
te molerá?

El tiempo corrió después,
corrió el tiempo sin cesar,
yo para allá, para aquí,
yo para aquí, para allá,
para allá, para aquí,
para aquí, para allá...

Nada sé, nada se sabe,
ni nada sabré jamás,
nada han dicho los periódicos,
nada pude averiguar,
de aquella mulata de oro
que una vez miré al pasar,
moño de seda en la nuca,
bata de cristal,
niña de espalda reciente,
tacón de reciente andar.

(*El son entero,* 1947)

El negro mar

La noche morada sueña
sobre el mar;
la voz de los pescadores
mojada en el mar;
sale la luna chorreando
del mar.

El negro mar.

Por entre la noche un son
desemboca en la bahía;
por entre la noche un son.
Los barcos lo ven pasar,
por entre la noche un son,
encendiendo el agua fría.
Por entre la noche un son,
por entre la noche un son,
por entre la noche un son...

El negro mar.

—Ay, mi mulata de oro fino,
ay, mi mulata
de oro y plata,
con su amapola y su azahar,
al pie del mar hambriento y masculino,
al pie del mar.

(*El son entero,* 1947)

La tarde pidiendo amor

La tarde pidiendo amor.
Aire frío, cielo gris.
Muerto sol.
La tarde pidiendo amor.

Pienso en sus ojos cerrados,
la tarde pidiendo amor,
y en sus rodillas sin sangre,
la tarde pidiendo amor,
y en sus manos de uñas verdes,
y en su frente sin color,
y en su garganta sellada...
la tarde pidiendo amor,
la tarde pidiendo amor,
la tarde pidiendo amor.

No.
No, que me sigue los pasos,
no;
que me habló, que me saluda,
no;
que miro pasar su entierro,
no;
que me sonríe, tendida,
tendida, suave y tendida,
sobre la tierra, tendida,
muerta de una vez, tendida...

No.

                                        (*El son entero,* 1947)

Rosa tú, melancólica

El alma vuela y vuela
buscándote a lo lejos,
Rosa tú, melancólica
rosa de mi recuerdo.
Cuando la madrugada
va el campo humedeciendo,
y el día es como un niño
que despierta en el cielo,
Rosa tú, melancólica,

ojos de sombra llenos,
desde mi estrecha sábana
toco tu firme cuerpo.
Cuando ya el alto sol
ardió con su alto fuego,
cuando la tarde cae
del ocaso deshecho,
yo en mi lejana mesa
tu oscuro pan contemplo.
Y en la noche cargada
de ardoroso silencio,
Rosa tú, melancólica
rosa de mi recuerdo,
dorada, viva y húmeda,
bajando vas del techo,
tomas mi mano fría
y te me quedas viendo.
Cierro entonces los ojos,
pero siempre te veo
clavada allí, clavando
tu mirada en mi pecho,
larga mirada fija,
como un puñal de sueño.

                                                    (*El són entero,* 1947)

La pequeña balada de Plóvdiv

BULGARIA

En la vieja villa de Plóvdiv,
            lejos, allá,
mi corazón murió una noche
            y nada más.

Una larga mirada verde,
            lejos, allá,
húmedos labios prohibidos
            y nada más.

El cielo búlgaro brillaba,
          lejos, allá,
lleno de estrellas temblorosas
          y nada más.

Oh lentos pasos en la calle,
          lejos, allá,
últimos pasos para siempre
          y nada más.

Junto a la puerta misteriosa,
          lejos, allá,
la mano blanca, un solo beso
          y nada más.

                              (*La paloma de vuelo popular*, 1958)

A Julieta

Pues aquí tiene usted, Julieta,
como por fin
enseño mi oreja de poeta.
Pero un poeta sin spleen
y sin ninguna
de esas pegajosas miradas extravagantes
a la Luna,
que con su cara redonda llena de harina,
turbaba la inocencia de los poetas de antes,
cuando el baño era un crimen mayor que usar chalina.
Un poeta sin dolor mentiroso,
ni anhelo de morir,
sino con el sencillo gozo de ir
hacia usted... De ir hacia usted corriendo
como quien va al través de un campo en primavera,
tragando el aire húmedo en la carrera,
el pie desnudo sobre el camino desigual,
la piel sudada bajo el sol matinal,
y acezar como un buen perro fiel,

y tener en los ojos un gran brillo auroral,
y en los labios un gran sabor de miel.

¡Qué quiere usted, si soy un niño!
Me gustan los pequeños
goces de ser irresponsable, de encontrar el cariño
de la gente, de fabricarme dueños;
de buscar quien acuda
a resplandecer en mi duda
o a sujetar mis empeños
desbocados. Le juro a usted que aún creo en esas magas
historias del pirata, del bandido y del duende,
y que tengo el espíritu fresco como un gran río.
Debe ser que, lo mismo que le pasa a Emilio Ballagas,
primaveral poeta amigo mío,
yo también «a mis pies apaciento un rebaño de sueños».

En fin, no sé. Pero usted me comprende.
¿Qué le decía? ¡Ah sí! Que soy un niño.
(Perdone el desaliño
del poema; es que estoy escribiendo de prisa.)
Pues bien: Ello es que, niño y todo,
la busco a usted. Me obsede usted, aunque en verdad
ignoro a estas alturas si es amor o amistad.

He averiguado esto: Que su risa
es suave, como un ungüento sobre la piel quemada;
que mira usted de un modo
profundo, desde unos ojos llenos de luz crepuscular;
y que su carne parece amasada con yodo,
con canela, con bronce y con agua del mar.
Me gusta oírla hablar,
porque las palabras salen de su boca como de un nido;
primero se asomen, y en seguida rompen a volar.

Me gusta verla andar,
correr, saltar... Me hace gracia el medido
tono con que responde
si la llaman... ¿Dónde

su voz se esconde?
—Julieta, por teléfono... Julieta por...
Y usted:
—Sí; voy en seguida. Gracias...
                                        Y es
como si usted sintiera un amable furor
porque le gritaron su nombre. Cosas
de las personas. Las suyas son así.
Amo su inglés
(yo, que odio al yanqui con las más poderosas
fuerzas que hay en mí),
amo su inglés, le digo,
y a veces, hasta sigo
su charla en ese idioma, como si yo entendiera,
pero es que su voz me es grata de cualquier manera.
Como usted ve, la espío.

Ya sé cuándo usted llega, cuándo se va;
y hasta sé cuando está
melancólica; cuando se la come el hastío
que hay entre las cuatro paredes
de su cuarto. (El amor que se frustra; el vacío
de la vida, ambiciosa de sus torpes mercedes...)
Y, sin embargo, Julieta,
trato de saber más.
Me muerde una secreta
ansia de investigar lo que hay detrás
de usted misma, como un rayo que rasga un pedazo de
    cielo;
saber cómo es que a veces
su sonrisa se viste
de un relámpago triste;
saber qué amargas heces
apura usted; trepar la cumbre
más alta de su espíritu, y en ella
encender sabe Dios qué apagada lumbre,
y revivir sabe Dios qué muerta estrella.

                                (*Poemas de amor*, 1933-1971)

Alta niña de caña y amapola

Primero fue su rápida cintura,
la órbita de oro en que viajaba
su cuerpo, el mundo joven de su risa,
la verde, la metálica
naturaleza de sus ojos.
¿La amé? Nunca se sabe.
Pero en las noches tímidas,
en las nubes perdidas y sonámbulas
y en el aroma del jazmín abierto
como una estrella fija en la penumbra,
su nombre resonaba.
Un día la distancia
se hizo un largo suspiro.
¡Oh qué terrestre angustia, en un gran golpe
de nieve y lejanía!
¿Sufrí? Nunca se sabe.
Pero en las tardes tristes,
en la insistencia familiar del Ángelus,
a la hora del vuelo taciturno
del búho y el murciélago,
como en un sueño simple la veía.
Al fin he aquí que el viento,
he aquí que el viento al fin me la devuelve.
La he tenido en mis brazos, la he besado
en un tibio relámpago.
Toqué sus manos lentas,
la flor bicéfala del seno, el agua
de su lujuria inaugural... Ahora,
oh tú, bienesperada,
suave administradora
del fuego y de la danza,
alta niña de caña y amapola,
ahora ya sé que sufro y que te amo.

(*Poemas de amor,* 1933-1971)

Ana María

Ana María,
la trenza que te cae
sobre el pecho, me mira
con ojos de serpiente
desde su piel torcida.

Yo entre todas tus gracias
señalo la sonrisa
con que al arder escondes
la llama de ti misma.

Es cuando te recorren
las nubes pensativas
y en tu cuerpo metálico
la tempestad se estira,
como una lenta y suave
serpiente suspendida.

(*Poemas de amor,* 1933-1971)

Teresa

¿Imagina usted, Teresa,
cómo arde su rostro grave
al resplandor de la suave
luz verde en sus ojos presa?

¿Se sabe qué luz es ésa?
¡Dios mío, sólo se sabe
que nadie en el mundo sabe,
Teresa, qué luz es ésa!

Goce supremo, Teresa,
apagarle el rostro grave,
no más el instante suave
de verla en mis brazos presa.

¡Oh enigma el de la luz esa,
de la que sólo se sabe
que nadie en el mundo sabe,
Teresa, qué luz es ésa!

(Poemas de amor, 1933-1971)

Un poema de amor

No sé. Lo ignoro.
Desconozco todo el tiempo que anduve
sin encontrarla nuevamente.
¿Tal vez un siglo? Acaso.
Acaso un poco menos: noventa y nueve años.
¿O un mes? Pudiera ser. En cualquier forma,
un tiempo enorme, enorme, enorme.

Al fin, como una rosa súbita,
repentina campánula temblando,
la noticia.
Saber de pronto
que iba a verla otra vez, que la tendría
cerca, tangible, real, como en los sueños.
¡Qué explosión contenida!
¡Qué trueno sordo
rodándome en las venas,
estallando allá arriba
bajo mi sangre, en una
nocturna tempestad!
¿Y el hallazgo, en seguida? ¿Y la manera
de saludarnos, de manera
que nadie comprendiera
que ésa es nuestra propia manera?
Un roce apenas, un contacto eléctrico,
un apretón conspirativo, una mirada,
un palpitar del corazón
gritando, aullando con silenciosa voz.

Después
(ya lo sabéis desde los quince años)
ese aletear de las palabras presas,
palabras de ojos bajos,
penitenciales,
entre testigos enemigos.
Todavía
un amor de «lo amo»,
de «usted», de «bien quisiera,
pero es imposible»... De «no podemos,
no, piénselo usted mejor»...
Es un amor así,
es un amor de abismo en primavera,
cortés, cordial, feliz, fatal.
La despedida, luego,
genérica,
en el turbión de los amigos.
Verla partir y amarla como nunca;
seguirla con los ojos,
y ya sin ojos seguir viéndola lejos,
allá lejos, y aun seguirla
más lejos todavía,
hecha de noche,
de mordedura, beso, insomnio,
veneno, éxtasis, convulsión,
suspiro, sangre, muerte...
Hecha
de esa sustancia conocida
con que amasamos una estrella.

(*Poemas de amor,* 1933-1971)

Nocturno

Llegó envuelta en la lluvia,
de noche. Tocó el hondo
portón y brilló un grito.
Bajé, bajo la lluvia,

bajo el cielo inmediato,
lento de aquella noche.
—¡Vine! —me dijo—. ¡Vine!,
porque tan lejos, sola,
allá sola, tan lejos,
en aquel mundo mínimo,
negro, callado y húmedo
me moría otra vez.
—¡Vine! —me dijo—. ¡Vine!

Miré su ropa. Estaba
vestida de relámpagos.
Fluía de su pecho
luz de San Telmo, fría,
fósforo de las tumbas,
sustancia de arco iris.
Los ojos calmiverdes,
como duras espadas,
el cuerpo inmóvil, fijo,
la piel de mármol mármol
y en los labios la misma
voz, la tremenda voz:
—¡Vine! —me dijo—. ¡Vine!

¿Quién eres? —grité entonces,
turbado. Ella, sonriente,
me respondió: Tu culpa,
tu lámpara de insomnio,
la implacable y tenaz.
Tengo frío. No quiero
morir de nuevo. Dame
tu sol. Dame tus dientes.
Dame tu corazón.
Sobre él pondré mis manos,
sobre su brasa roja
mis manos aleteando...
—¡Vine! —me dijo—. ¡Vine!

El limonero cándido
—sollocé— ya no existe.
En la risa sonámbula
pasan sus duras hojas,
sus azahares rígidos
de nupcias incompletas.
¡Oh virgen, virgen, virgen!
El viento es de metal.
Vuelan blandos murciélagos
sobre la noche en ruinas:
Vete tal vez o quédate
para llorar unidos
la impalpable catástrofe.

Aún dije más: Quería
decirlo todo, todo:
El pájaro sin torre,
el río vuelto arena,
el reloj detenido,
de horas petrificadas,
la mariposa enferma
sobre la flor de limo
y el saludo implacable
y el pez muerto, flotando
corrompido y la estrella
vacía y la campana
de funeral crespón...

¡Oh tú, la dulce y cándida,
vuelve a tu pedestal!
Déjame el llanto, déjame
a solas con mi voz.
Yo sé hablarme, mi lengua
sabe lo que hay en mí.
Con ella día a día
mi vida golpearé,
me clavaré en el pecho
su punta de cristal,
y moriré nombrándote,

de lluvia y sueño el fiel
suspiro que eres tú.

(Poemas de amor, 1933-1971)

Piedra de horno

La tarde abandonada gime deshecha en lluvia.
Del cielo caen recuerdos y entran por la ventana.
Duros suspiros rotos, quimeras calcinadas.

Lentamente va viniendo tu cuerpo.
Llegan tus manos en su órbita
de aguardiente de caña;
tus pies de lento azúcar quemados por la danza,
y tus muslos, tenazas del espasmo,
y tu boca, sustancia
comestible, y tu cintura
de abierto caramelo.
Llegan tus brazos de oro, tus dientes sanguinarios;
de pronto entran tus ojos traicionados;
tu piel tendida, preparada
para la siesta:
Tu olor a selva repentina; tu garganta
gritando —no sé, me lo imagino—, gimiendo
—no sé, me lo figuro—, quejándose —no sé, supongo, creo—
tu garganta profunda
retorciendo palabras prohibidas.
Un río de promesas
baja de tus cabellos,
se demora en tus senos,
cuaja al fin en un charco de melaza en tu vientre,
viola tu carne firme de nocturno secreto.

Carbón ardiente y piedra de horno
en esta tarde fría de lluvia y de silencio.

(Poemas de amor, 1933-1971)

Jugabas con un lápiz...

Jugabas con un lápiz,
callada y pensativa,
sobre la virgen hoja
donde nada escribías.
Te saludé partiendo,
mas tu voz me fue esquiva;
grité luego tu nombre,
alzaste tú la vista,
y de tus negros ojos
en la luz sorprendida
supe que estabas lejos...
¿De qué país volvías?

(*Poemas de amor*, 1933-1971)

Si a mí me hubieran dicho...

Si a mí me hubieran dicho
que iba a llegar el día
en que los dos no fuéramos
más que simples amigos,
no lo hubiera creído.

Que alguien nos viera, digo,
hablar indiferentes
del sol o de la lluvia
como simples amigos,
no lo hubiera creído.

¡Ay, qué puñal tan fino
éste de cuya herida
me muero y me desangro...!
Si me lo hubieran dicho,
no lo hubiera creído.

(*Poemas de amor*, 1933-1971)

La muerte es un suplicio...

La muerte es un suplicio
banal, si se compara
con este andar a tientas
tras una sombra vaga.
Entrecambiar al paso
brevísimas palabras,
cosas que todos dicen
y que no dicen nada.
¿Llegar veré yo el día
en que de nuevo vaya
pendiente de tus labios
por una senda clara,
alto el cielo sin nubes
y sin nubes el alma?
¡Oh, quién pudiera, amiga,
fría, impasible estatua,
hablarte como antes
cada día te hablaba,
beber tu aliento puro
en amorosas ansias,
sentir tu voz temblar
como antaño temblaba,
y como antaño, ser
el dueño de tus lágrimas!

(*Poemas de amor*, 1933-1971)

Vino usted de tan lejos

Vino usted de tan lejos,
y yo, sin esperarla
sabiendo que vendría.
¿Qué hacer, si apenas puedo
verla al paso del viento,
si su voz es perfume
que me persigue y huye,

si su cuerpo es un sueño
del que despierto en lágrimas,
si sus manos son pétalos
que sólo rozar puedo,
y su risa, arco iris
lejano, en el silencio
húmedo de la tarde?

¿Qué hacer, si apenas puedo
verla al paso del viento?

(*Poemas de amor*, 1933-1971)

Llueve cada domingo

I

Llueve cada domingo.
Otra vez la tristeza.
El corazón me sangra
como una herida abierta.
¿Dónde estás? En un sueño
donde es de noche y nieva.
Llueve cada domingo.
Otra vez la tristeza.

II

Oh, mi adorada. Busco
la almohada donde pueda
reclinarse por siempre
mi encendida cabeza.
Te imploro, llamo, pido.
¿Vendrás? Ay, si vinieras...
Llueve cada domingo.
Otra vez la tristeza.

III

No sé lo que me pasa.
Pero tu fija ausencia
es un mármol de tumba
que sobre mi alma pesa.
Pasaron ya los días
de rosas y hojas frescas.
Llueve cada domingo.
Otra vez la tristeza.

IV

Se detienen las horas,
mordidas por la espera;
vuelan mis ilusiones,
las derriban tus flechas.
El corazón me sangra
como una herida abierta.
Llueve cada domingo.
Otra vez la tristeza.

(*Poemas de amor*, 1933-1971)

Soneto

Cerca de ti, ¿por qué tan lejos verte?
¿Por qué noche decir, si es mediodía?
Si arde mi piel, ¿por qué la tuya es fría?
Si digo vida yo, ¿por qué tú muerte?

Ay, ¿por qué este tenerte sin tenerte?
¿Este llanto por qué, no la alegría?
¿Por qué de mi camino te desvía
quien me vence tal vez sin ser más fuerte?

Silencio. Nadie a mi dolor responde.
Tus labios callan y tu voz se esconde.
¿A quién decir lo que mi pecho siente?

A ti, François Villon, poeta triste,
lejana sombra que también supiste
lo que es morir de sed junto a la fuente.

(*Poemas de amor*, 1933-1971)

Solo de guitarra

La tarde con ser tan alta
—digo, esta tarde— y azul,
es pequeña, pequeñita,
ay, qué tarde tan bajita
sin usted, sin ti, sin tú.

Estoy el mar contemplando
—digo, este mar— tan grandón,
pero es un mar chiquitito,
ay, qué mar tan pobrecito
sin ti, sin usted, sin yo.

Estoy mirando la Luna
—digo, esta Luna— brillar,
y la veo tan oscurita,
¡ay, qué Luna tan poquita,
sin con quien yo quiero estar!

(*La rueda dentada*, 1972)

El árbol

El árbol que verdece
a cada primavera,
no es más feliz que yo,

de nuevo verdiflor.
Las amarillas hojas
cayeron, y en mi tronco
vuelven los novios trémulos
a entrelazar sus cifras,
y hay corazones fijos
por flechas traspasados,
vivos en esa muerte.
Cuando digo «te amo»,
mi voz repite el viento
y en mi alta copa juega
con tu nombre y un pájaro
hijo de abril y marzo.

(La rueda dentada, 1972)

Pas de téléphone...

La lluvia, el cielo gris.
Pas de téléphone
lejos de ti.
(Me duele el corazón.)

¿Qué hacer para saber
si ahora, en esta hora
de lluvia y cielo gris,
te duele el corazón
como me duele a mí?
Pas de téléphone
lejos de ti.

Ay, en París
mejoraría la situación
un pneumatique.
Oh mi adorada, pero aquí
no existe el pneumatique,
y pas de téléphone
lejos de ti.

Tus ojos de ámbar quiero
sentir cerca de mí;
saber si en esta tarde
de lluvia y cielo gris
te duele el corazón
como me duele a mí.

Pas de téléphone
lejos de ti.

(*La rueda dentada*, 1972)

A veces...

A veces tengo ganas de ser un cursi
para decir: La amo a usted con locura.
A veces tengo ganas de ser tonto
Para gritar: ¡La quiero tanto!
A veces tengo ganas de ser niño
para llorar acurrucado en su seno.
A veces tengo ganas de estar muerto
para sentir, bajo la tierra húmeda de mis jugos,
que me crece una flor rompiéndome el pecho,
una flor, y decir: Esta flor,
para usted.

(*La rueda dentada*, 1972)

Nancy

Entre los dibujos inéditos de Walt Disney, a su muerte,
encontraron a Nancy. Era el mismo nervioso antílope que
ahora vemos, pero aún no había echado a correr, fina
gacela detenida entre el cartón y el lápiz. Los ojos grandes, grandísimos y como asombrados en su inocencia;
los senos breves y culpables.

Pienso que su poesía es negra como su piel, cuando la tomamos en su esencia íntima y sonámbula. Es también cubana (por eso mismo) con la raíz enterrada muy hondo hasta salir por el otro lado del planeta, donde se la puede ver sólo el instante en que la Tierra se detiene para que la retraten los cosmonautas.

Yo amo su sonrisa, su carne oscura, su cabeza africana. Su cabeza sin tostar, dicho sea para aludir a los tostadores y tostados negros burgueses que se queman la cabellera cada semana y viven esclavos del peluquero engañador. Me gusta verla, oírla (un susurro es lo que percibimos cuando habla). Soy su partidario, voto por ella, la elijo y proclamo. Grito, desaforado: ¡Viva Nancy!

(*La rueda dentada*, 1972)

Canción

¡De qué callada manera
se me adentra usted sonriendo,
como si fuera
la primavera!
(Yo, muriendo.)

Y de qué modo sutil
me derramó en la camisa
todas las flores de abril.

¿Quién le dijo que yo era
risa siempre, nunca llanto,
como si fuera
la primavera?
(No soy tanto.)

En cambio, ¡qué espiritual
que usted me brinde una rosa
de su rosal principal!

¡De qué callada manera
se me adentra usted sonriendo,
como si fuera
la primavera!
(Yo, muriendo.)

(*La rueda dentada,* 1972)

Una fría mañana...

Pienso en la fría mañana en que te fui a ver,
allá donde La Habana quiere irse en busca del campo,
allá en tu suburbio claro.
Yo con mi botella de ron
y el libro de mis poemas en alemán,
que al fin te regalé.
(¿O fue que te quedaste con él?)

Perdóname, pero aquel día
me pareciste una niñita sola,
o quizás un pequeño gorrión mojado.
Tuve ganas de preguntarte:
¿Y tu nido? ¿Y tus padres?
Pero no habría podido.
Desde el abismo de tu blusa,
como dos conejillos caídos en un pozo,
me ensordecían tus senos con sus gritos.

(*La rueda dentada,* 1972)

Nieve

Como la nieve cae aquí,
nieva también dentro de mí.
(Verlaine con nieve, ¿no es así?)
De ti me acuerdo —ya sin ti.

¿A qué llorar, me digo yo,
por quien no llora ni lloró?
Si estuve escrito, me borró,
si ardí un instante, me apagó.

Caiga la nieve, está muy bien.
Mas no por eso va Guillén
a entristecerse si no hay quien
del mismo mal muera también.

Literatura, en realidad,
nimia de toda nimiedad.
¿Que está nevando en la ciudad?
Al fin y al cabo es la verdad.

                                        (*La rueda dentada*, 1972)

Cómo no ser romántico

Cómo no ser romántico y siglo XIX,
no me da pena,
cómo no ser Musset
viéndola esta tarde
tendida casi exangüe,
hablando desde lejos,
lejos de allá del fondo de ella misma,
de cosas leves, suaves, tristes.

Los shorts bien shorts
permiten ver sus detenidos muslos
casi poderosos,
pero su enferma blusa pulmonar
convaleciente
tanto como su cuello-fino-modigliani,
tanto como su piel-margarita-trigo-claro,
Margarita de nuevo (así preciso),
en la chaise longue ocasional tendida
ocasional junto al teléfono,

me devuelven un busto transparente
(nada, no más un poco de cansancio).

Es sábado en la calle, pero en vano.
Ay, cómo amarla de manera
que no se me quebrara
de tan espuma tan soneto y madrigal,
me voy no quiero verla,
de tan Musset y siglo xix
cómo no ser romántico.

(*La rueda dentada,* 1972)

Son del bloqueo

Kennedy con su bloqueo
nos quiere cerrar el mar,
 Quenedí, quenedá,
afeitar a los barbudos,
volvernos a esclavizar.
 Quenedí, quenedá,
¡qué bruto que es el Tío Sam!
 Quenedá.

Ni un paso atrás, compañeros,
amigos, ni un paso atrás,
 Quenedí, quenedá,
plomo y plomo al enemigo,
plomo y plomo y nada más.
 Quenedí, quenedá,
¡qué bruto que es el Tío Sam!
 Quenedá.

Martí quiso a Cuba libre
y Fidel dijo: ¡Ya está!
       Quenedí, quenedá,
con bloqueo y sin bloqueo
libre por siempre será.
       Quenedí, quenedá,
¡qué bruto que es el Tío Sam!
       Quenedá.

¡Lárgate, yanqui, de aquí!
       Quenedí.
¡Déjanos, Kennedy, en paz!
       Quenedá.
Porque si no vas a ver,
       vas a ver,
el plomo que lloverá.
       Ay, vas a ver
el plomo que lloverá.
       Quenedá.

                                                    (*Tengo*, 1964)

Como del cielo llovido...

Como del cielo llovido
cuando nadie lo esperaba,
porque la gente pensaba
que era ya por siempre ido,
regresó el Embajador
desde su país natal,
bien ajustado el bozal,
pues hablar poco es mejor.
Alguien preguntó: —¿Qué tal?
Él hizo un gesto de horror
y exclamó luego: —Muy mal.

              ¡Vaya con Bonsal,
              qué tipo fatal!

El yanqui grita y se aterra,
llevándonos la contraria,
porque la reforma agraria
nos pone en pie en nuestra tierra.
¿Libre Cuba? ¡Por favor!
¡Qué crimen descomunal!
Corra y arregle el panal
nuestro fiel Embajador.
El hombre corrió... ¿Qué tal?
Lució su mueca peor
y dijo luego: —Muy mal.

> *¡Vaya con Bonsal,*
> *qué tipo fatal!*

Anteayer por la mañana,
un poco más sosegado,
a entregar fuese en Estado
una «nota» americana.
¿Qué pensará este señor,
qu aquí todo sigue igual?
Al salir, ya en el portal,
alguien dijo: —Embajador,
¿qué tal la cosa, qué tal?
Sin ocultar su rencor,
respondió luego: —Muy mal.

> *¡Vaya con Bonsal,*
> *qué tipo fatal!*

El Norte es una marmota
(dijo un chusco) mas que entienda
que en lo escrito ¡ni una enmienda!
y en música, ¡ni una nota!
Lo sabe el Embajador,
que no es, claro, un animal,
y oyendo el ronco timbal
que el pueblo toca en su honor,
si le preguntan: —¿Qué tal?

con cara de mal olor
responde luego: —Muy mal.

> *¡Vaya con Bonsal,*
> *qué tipo fatal!*

(*Tengo*, 1964)

En el invierno de París

En el invierno de París
la pasan mal
los sans-abris;
la pasan mal
los sans-logis;
la pasan mal
los sans-nourri:
La pasan mal
en el invierno de París.

En el invierno de París
¿qué piensas tú,
sin un ami?
¿Qué piensas tú
solo en la rue?
¿Qué piensas tú
de mí, de ti,
qué piensas tú,
en el invierno de París?

En el invierno de París
viene el burgués
(que ama la vie)
viene el burgués
v exclama: Oui!
Viene el burgués,
repite: Oui!
Viene el burgués
en el invierno de París.

En el invierno de París
nunca se vio
gente tan chic;
nunca se vio
tan fino esprit;
nunca se vio
là-bas o ici,
nunca se vio
en el invierno de París.

En el invierno de París
con calma pues
tendrás abris;
con calma pues
serás nourri;
con calma pues
se dice (on dit)
con calme pues
en el invierno de París.

En el invierno de París
vivir podrás
un mes así;
vivir podrás
con lait, con lit;
vivir podrás
ya sans souci;
vivir podrás
en el invierno de París.

En el invierno de París...
¿Pero y después?
Solo en la rue.
¿Pero y después?
Sin un ami.
¿Pero y después?
Ni lait ni lit.
¿Pero y después
sin el invierno de París?

                                        (*Tengo*, 1964)

A la Virgen de la Caridad

Virgen de la Caridad,
que desde un peñón de cobre
esperanza das al pobre
y al rico seguridad.
En tu criolla bondad,
¡oh madre!, siempre creí,
por eso pido de ti
que si esa bondad me alcanza
des al rico la esperanza,
la seguridad a mí.

                                        (*Tengo*, 1964)

¡Míster, no!

Cuando el pueblo de Martí,
frente a los gringos se irguió,
altanero dijo: —No,
donde ellos dijeron: —Sí.
El yanqui, en su frenesí,
con ese pueblo rompió;
mas repite el pueblo: —No,
en vez de decirle: —Sí.
            —*Míster, no.*

Nuestro cielo azul turquí
un avión yanqui manchó,
pero el viento dijo: —No,
cuando el avión dijo: —Sí.
El gringo quería así
vencernos, mas fracasó,
porque el viento dijo: —No,
en vez de decirle: —Sí.
            —*Míster, no.*

Ardiendo la caña vi;
fue un gringo quien la quemó.
La caña gritaba: —No,
—aun ardiendo— en vez de sí.
No más cadenas aquí,
que ya el pueblo las rompió,
y al romperlas dijo: —No,
donde otros dijeron: —Sí.
                    —Míster, no.

¡Oh Patria, pensando en ti
y en Martí, que te adoró,
en voz alta digo: —No,
al yanqui que chilla: —Sí.
Grito en inglés: Cuba is free
(por si alguien no me entendió).
Cuba es libre, y dice: —¡No!
donde otros dijeron: —Sí.
                    —Míster, no.

                              (*Tengo*, 1964)

Los usureros

Monstruos ornitomorfos,
en anchas jaulas negras,
los usureros.

Hay el Copete Blanco (Gran Usurero Real),
y el Usurero-Buitre, de las grandes llanuras,
y el Torpedo Vulgar, que devora a sus hijos,
y el Rabidaga de cola cenicienta,
que devora a sus padres,
y el Vampiro Mergánsar,
que chupa sangre y vuela sobre el mar.

En el ocio forzado
de sus enormes jaulas negras,

los usureros cuentan y recuentan sus plumas
y se las prestan a interés.

(*El gran zoo*, 1967)

Gángster

Este pequeño gángster neoyorquino
es el hijo menor de un gángster de Chicago
y una madre *bull-dog*.
                    Fue herido en el asalto
al Royal Bank de Seattle.
Chester.
Lucky.
Camel.
White Label o Four Roses.
Browning.
Heroína.
(Sólo habla inglés.)

(*El gran zoo*, 1967)

Monos

El territorio de los monos.
De acuerdo con los métodos modernos
están en libertad provisional.

El de sombrero profesor.
Con su botella el del anís.
Los generales con sus sables de cola.
En su caballo estatua el héroe mono.
El mono oficinista en bicicleta.
Mono banquero en automóvil.
Decorado mono mariscal.
El monocorde cordio
fásico cotiledón.

Monosacárido.
Monoclinal.
Y todos esos otros que usted ve.

Para agosto
nos llegarán seiscientos monosmonos.
(*La monería fundamental.*)

(*El gran zoo*, 1967)

Policía

Este animal se llama policía.
Plantígrado soplador.
Variedades: La inglesa, sherlock. (*Pipa.*)
Carter, la norteamericana. (*Pipa.*)
Alimento normal:

Pasto confidencial,
electrointerrogograbadoras,
comunismo (*internacional*),
noches agotadoras
de luz artificial.

Son mucho más pequeños los de la raza *policeman*.
Metalbotones, chapa. La cabeza
formando gorra: Delincuencia infantil,
disturbios, huelgas, raterías.
Comunismo (*local*).

(*El gran zoo*, 1967)

El chulo

Orobotones en la camiseta
legítima H. R.
Rabocolt 38 con dril blanco espejo.

Cresta de jipijapa.
Mimí Pinsón en el pañuelo.

Echado en el fondo de la jaula
pasa su poca vida y gran hastío
de sueño en sueño con las secas putas
(todas en estado cadavérico)
del viejo santo San Isidro.

(Nota: Ejemplar único, cazado
hace sesenta años
una noche de riña con franceses
en Luz y Curazao.)

(El gran zoo, 1967)

Oradores

Aquí los oradores.
Algunos son campeones
provinciales. Otros
lo son olímpicos. Otros
no son nada, ni siquiera oradores.
Plumaje muy diverso.
Con todo, predomina
cierta nuance vulgar del amarillo.
Como usted nota,
la confusión es colosal.

>   *Señoras y señores*
>   *¡Camaradas!*
>   *Amados hijos míos*
>   *Señor presidente, señores diputados*
>   *Respetable público*
>   *¡Compañeros!*
>   *Me siento emocionado*
>   *Es ésta la primera vez*
>   *Esta noche no debéis esperar de mí un discurso*

> *Permitidme que*
> *No sé cómo yo oso*
> *¡Qué distinta es, esclarecido Cristóbal Colón,*
> *Los familiares del difunto me*

Cuando al fin enronquecen hacen gárgaras
con las palabras que les sobran
(*muy pocas*)
y recomienzan la función:
> *Y señores maradas*
> *esperar de mí un discurso*
> *jos míos respetable*
> *cionado*
> *funto como yo oso*
> *Colón*

(*El gran zoo*, 1967)

Gorila

El gorila es un animal
a poco más enteramente humano.
No tiene patas sino casi pies,
no tiene garras sino casi manos.
Le estoy hablando a usted
del gorila del bosque africano.

El animal que está a la vista,
a poco más
es un gorila enteramente.
Patas en lugar de pies
y casi garras en lugar de manos.
Le estoy narrando a usted
el gorila americano.

Lo adquirió
nuestro agente viajero en un cuartel
para el Gran Zoo.

(*El gran zoo*, 1967)

Tonton macoute

Cánido
numeroso en Haití bajo la Era
Cuadrúpeda.
            Ejemplar
hallado en el corral presidencial
junto a las ruinas
silvestres de palacio.
(*Port-au-Prince.*)

Perdió la pata izquierda de un balazo
frente al Champ de Mars
en un tumulto popular.

Morirá en breves días
a causa de la herida de machete
que le hunde el frontal.

Se le está preparando una vitrina
en el museo de historia natural.

(*El gran zoo*, 1967)

Epigramas

I

Pues te diré que estoy apasionado
por un asunto vasto y fuerte
que antes de mí nadie ha tocado:
Mi muerte.

II

Vas en mi corazón como un infarto.
Eres la pierna de que estoy cojo.

Eres el guiso de que estoy harto.
Te llevo en la cabeza, pero
como un piojo.

III

Lecho de gran estructura.
Desde un vaso transparente
se ríe la dentadura
del Intendente.

IV

No chilles tanto.
No va a entenderte nadie.
Vas a volverte ronco de remate.

V

Pues que lo conociste, dime tú
si no era así Rufo el glotón:
El espinazo, de bambú,
de lodo y mierda el corazón.

VI

De todos los santos que conozco,
nadie tan milagroso
como Don Juan Bosco.
(Ser Don Juan,
y estar en un altar.)

VII

«¡Al combate corred, bayameses…!»
¿Y por qué no: *corramos*?
He pensado en esto algunas veces.)

VIII

He aquí un hecho probado:
Jamás, Landoro, en tu oficina estuvo
el desorden mejor organizado.

IX

...Pues como te decía,
ese ruido violento
que en tu cabeza escuchas noche y día,
sólo es, ¡oh Plinio!, viento.

X

¡Qué delicia ser tonto sin saberlo!

XI

Buen problema, compadre Escipión,
aunque pienses que no es un problema:
Estudiar cómo se hace un jamón,
sin saber cómo se hace un poema.

XII

¡Qué estómago tan terco!
Porcia parte hacia el Norte.
Estímulo especial: Bisté de puerco.

XIII

Dice Platón: ¡Caramba, cómo quita
las ganas de vivir, esta jarana!
No charada, no putas, no bolita,
no coca, no parlé, no mariguana.
(Diálogo con Mitrita
a las dos menos diez de la mañana.)

XIV

Siempre de escrúpulos viviste falto.
Hoy diriges un banco en Nueva York.
Nunca pensé que rodaras tan alto.

XV

Tu hijo, Radamés,
dejó el nativo sol
para aprender inglés.
No lo aprendió, y en cambio, como ves,
olvidó el español.
Anda por Nueva York a cuatro pies.

XVI

Muy bien por el burócrata, y que Zeus le valga.
Oh Polifrón ¿por qué no le ponemos
una medalla de oro en cada nalga?

XVII

Para hacer un poema,
lo importante es saber cómo se hace un poema.
Ya sabes, pues, Orencio, cómo se hace un poema.

XVIII

Palabras olvidadas:
Representante, senador.
Diez por ciento, interés.
Déme un kilo, señor.
Míster, give me one cent!

XIX

Poesía eres tú, dijo Bécquer.
Pero tú, ¿quién es?
¿Quién eres tú?

XX

Pueblos hay cuyas axilas
tienen oficio especial;
son ellas las que elaboran
todo el olor nacional.

XXI

Martí, debe de ser terrible
soportar cada día
tanta cita difusa,
tanta literatura.
En realidad, sólo usted y la Luna.

XXII

Joven, comprendo
su desesperación y prisa. Pero creo
que para deshacer un soneto
lo anterior es hacerlo.

XXIII

Pienso:
¡Qué raro
que al tiro al blanco
no le hayan puesto *tiro al negro*!

XXIV

Ganó quince medallas
el general Metralla.
Ya no le falta más
que saber algún día
cómo es una batalla.

XXV

Este petronio tiene
los ojos grandes, las pestañas
grandes y grandes nalgas.
Parió una hija ayer.
Mas la mujer protesta
y dice que no es de ella.

XXVI

El orador insigne,
nadando en su propia voz
se esponja como un cisne.

XXVII

Aquel hombre
era Domingo
no sólo por el nombre,
sino también porque era
triste, vacío
como todo domingo.
Era un Domingo que tenía
el alma de domingo.

XXVIII

Maravillan
las cosas que hay en este mundo:
Ese muchacho zurdo
dejó el abecedario
para enseñar filosofía.

XXIX

El bailarín que aquí ves,
tiene una rara torpeza:
Destruye con la cabeza
lo que hace con los pies.

XXX

Dijo el General:
Las pérdidas
son insignificantes:
Muertos cuatro soldados,
mas ningún jefe importante.

XXXI

...Sin embargo, de pitcher,
con un escón de ponches
y un juego (aunque ya es mucho
pedir) de cerojitcerocarrera,
¡qué apoteósico tumulto!
Viva y viva.
                    Pero sí.
A soñar, compañeros.
Esperar, esperemos
al poeta completo.
Buen brazo, buenas
tardes y curvas,
buenas y curvas tardes,
velocidad, control.

Y algún soneto.

                                        (*La rueda dentada,* 1972)

Sic transit...

                        Soneto con pequeño estrambote.

Tanta pechera y pergamino
señor Comendador qué honor
al final o a medio camino
briznas al viento no más son,

oh qué penacho peregrino
(alguien sin duda se lo dio).
                    Pausa de 15
                    segundos a
                    un año.
Ahora sin penacho vino.
(Quien se lo dio se lo quitó.)

Se sabe que una ventolera
soplando a veces levantó
en un gran golpe a Juan Ripiera.

Mas cuando el viento se aquietó
guay pergamino y guay pechera
y guay señor Comendador
qué honor.

                        (*El diario que a diario*, 1972)

Poemas circunstanciales y festivos

¡Ay, señora, mi vecina!...

¡Ay, señora, mi vecina,
se me murió la gallina!
Con su cresta colorada
y el traje amarillo entero,
ya no la verá ataviada,
paseando en el gallinero,
pues señora, mi vecina,
se me murió la gallina,
domingo de madrugada;
sí, señora, mi vecina,
domingo de madrugada;
ay, señora, mi vecina,
domingo de madrugada.

¡Míreme usted cómo sudo,
con el corral enlutado,
y el gallo viudo!

¡Míreme usted cómo lloro,
con el pecho destrozado
y el gallo a coro!

¡Ay, señora, mi vecina,
cómo no voy a llorar,
si se murió mi gallina!

(*El son entero*, 1947)

Un son para Portinari

BUENOS AIRES

Para Cándido Portinari,
la miel y el ron,
y una guitarra de azúcar,
y una canción,
y un corazón.
Para Cándido Portinari,
Buenos Aires y un bandoneón.

¡Ay, esta noche se puede,
            se puede,
ay, esta noche se puede,
            se puede,
se puede cantar un son!

Sueña y fulgura.
Un hombre de mano dura,
hecho de sangre y pintura,
grita en la tela.
Sueña y fulgura,
su sangre de mano dura;
sueña y fulgura,
como tallado en candela;
sueña y fulgura,
como una estrella en la altura;

sueña y fulgura,
como una chispa que vuela...
Sueña y fulgura.

Así con su mano dura,
hecho de sangre y pintura
sobre la tela,
sueña y fulgura
un hombre de mano dura.
Portinari lo desvela
y el roto pecho le cura,
al hombre de mano dura
que está gritando en la tela,
hecho de sangre y pintura.

Sueña y fulgura.

(La paloma de vuelo popular, 1958)

Paul Éluard

Guardo de Paul Éluard
una mirada pura, un rostro grave
y aquella forma entre severa y suave
de hablar.

Con el albor del día fuimos en su busca
y había partido...
Fue una partida brusca,
sin au revoir ni adiós, sin pañuelo y sin ruido.

¿Adónde fue? ¡Quién sabe!
¡Quién lo podrá saber!
(¡Oh, la mirada pura, el rostro grave
y aquella forma entre severa y suave
de ser!)

(La paloma de vuelo popular, 1958)

Epístola

> *A dos amigas cubanas que invernaban
> en Palma de Mallorca.*

París, febrero 12.
                    Ángela y Flora:
Puesto que os santifica y os decora
el sol en esa playa en primavera
y os perfuma y os dora,
como hace con la uva y con la pera;
puesto que el mar balear su espuma cínica
viste y desviste al pie del duro muro
del malecón llorón, y embiste y besa
muslos de madreperlas y corales,
al modo del Caribe cuando toca,
con sus dedos sensuales,
en nuestras claras islas orquestales
vientres de musgo y roca;
puesto que Flora mía de mi alma,
Ángela y tú os miráis en el espejo
bruñido que os da Palma,
olvidando a París húmedo y viejo;
puesto que allá tenéis el casto verde,
la miel, el aire, el yodo, el pez, el trino
de pájaros trompetas y hasta el cielo
de Cuba, palio azul para el camino
—todo un Virgilio, en fin, de caramelo—;
puesto que allá La Habana está presente
¡digo La Habana! nuestra islita pura,
¿será tal vez cuestión impertinente
de ardua filosofía
indagar qué coméis? Quizás podría
saber yo si figura
Cuba también en el menú, de modo
que fuera la ilusión así completa.
Perdonadme ante todo.
Perdonad al poeta
desdoblado en gastrónomo... Mas quiero
que me digáis si allá (junto al puchero,

la fabada tal vez o la munyeta),
lograsteis decorar vuestros manteles
con blanco arroz y oscuro picadillo,
orondos huevos fritos con tomate,
el solemne aguacate
y el rubicundo plátano amarillo.
¿O por ser más sencillo,
el chicharrón de puerco con su masa,
dándole el brazo al siboney casabe
la mesa presidió de vuestra casa?
Y del bronco lechón el frágil cuero
dorado en púa ¿no alumbró algún día
bajo esos puros cielos españoles
el amable ostracismo? ¿Hallar pudisteis,
tal vez al cabo de mortal porfía,
en olas navegando,
en rubias olas de cerveza fría,
nuestros negros frijoles,
para los cuales toda gula es poca,
gordo tasajo y cristalina yuca,
de esa que llaman en Brasil mandioca?
El maíz, oro fino
en sagradas pepitas,
quizá vuestros ayunos
a perturbar con su riqueza vino.
El quimbombó africano,
cuya baba el limón corta y detiene,
¿no os suscitó el cubano
guiso de camarones,
o la tibia ensalada,
ante la cual espárragos ebúrneos,
según doctos varones,
según doctos varones en cocina,
según doctos varones no son nada?
Veo el arroz con pollo,
que es a la vez hispánico y criollo,
del cual es prima hermana
la famosa paella valenciana.
No me llaméis bellaco

si os hablo del ajíaco,
del cilíndrico ñame poderoso,
del boniato pastoso,
o de la calabaza femenina
y el fufú montañoso.
¡Basta! Os recuerdo el postre. Para eso
no más que el blanco queso,
el blanco queso que el montuno alaba,
en pareja con cascos de guayaba.
Y al final, buen remate a tanto diente,
una taza pequeña
de café carretero y bien caliente.
Así pues, primas mías,
esperaré unos días,
para saber por carta detallada
si esto que pido aquí debe tacharse
de ser una demanda exagerada,
o es que puede encontrarse
al doblar una esquina
en la primera casa mallorquina.
Si lo hay, voy volando,
mejor dicho, corriendo,
que es como siempre ando.
Pero si no, pues seguiré soñando...
Y cuando al fin os vea,
vueltas las dos de España
a París, esta aldea,
os sentaré a mi costa
frente a una eximia y principal langosta
rociada con champaña.

(*La paloma de vuelo popular*, 1958)

A la niña de Samuel Feijoo

Niña, eres gota de miel,
que de su pecho exprimió
Samuel
Feijoo.

¿A dónde te irás con él?
Pregunté, y me respondió
Samuel
Feijoo.

—Pues por el ancho tropel
de sueños en que ando yo,
Samuel
Feijoo.

Capitán de mi batel,
soñador y hombre de pro,
Samuel
Feijoo.

La niña, a mi sueño fiel,
que así la he soñado yo,
Samuel
Feijoo.

¡Viva la niña de miel
que de su pecho exprimió
Samuel
Feijoo!

La niña, bajo el dosel
de rosas que le tejió
Samuel
Feijoo.

(Poemas no incluidos en colecciones anteriores, 1972)

A Manuel Navarro Luna

I

Navarro, quién me dijera
que esta vez en Manzanillo
mi canto fresco y sencillo,
un canto de muerte fuera.
Ante tu sombra señera
la frente abajo y humillo,
lleno de unción me arrodillo
y siento que se alza y sube
hecho incienso, mirra, nube,
mi canto fresco y sencillo.

II

Sé de sueños que pasaron
y de otros que pasarán,
mas tus sueños quedarán,
porque en amor se afincaron.
Hubo sueños que mancharon
el agua, el vino y el pan,
y hay algunos que serán
vil polvo en vil polvareda:
De esos sueños nada queda,
mas tus sueños quedarán.

III

Partiste, pero has dejado
tu gran ejemplo ejemplar,
ancho y hondo como un mar,
que resuena a nuestro lado.
Quien por ti mismo invitado
en ti se echa a caminar,

regresa al lar familiar
bañado en fulgor profundo,
diestro en las cosas del mundo,
ancho y hondo como un mar.

IV

Tu guitarra ciudadana
tiene una cuerda montuna,
oh Manuel Navarro Luna,
que une Turquino y Habana.
Y cuanto es ella cubana,
como cubana ninguna,
se lo está debiendo a una
cubana de plata fina...
Oh fina Doña Martina,
oh Manuel Navarro Luna.

V

Aquí termina mi canto
esta vez en Manzanillo,
mi canto fresco y sencillo,
entremezclado de llanto.
Aunque es hondo mi quebranto,
aunque me abajo y humillo,
aunque uncioso me arrodillo
ante tu sombra señera,
¡sé que es viento en tu bandera
mi canto fresco y sencillo!

(Poemas no incluidos en colecciones anteriores, 1972)

Carlos Enríquez

Por sus praderas vagan
potrancas y mulatas.
Él mismo, como un dios, las gobierna.
Las posee, hombre y caballo.

Comprenderás al verlo
su seca consistencia de látigo,
su furia eléctrica, descarga
del espinazo al ron.

Entre los que conozco Carlos
señalo a Carlos Quinto y Emperador,
y a Carlos Tercero, nuestro provinciano
bulevar que desagua en una cárcel,
Carlos el Temerario, y
Carlos el Magno, en su gloria y honor.
En Cuba digamos digo yo
Carlos Primero y Fálico,
Carlos Fálico y Diablo,
Enríquez de raíz y de pincel pintor.

(*La rueda dentada,* 1972)

Víctor Manuel

Un sinsonte de papel
y un angelón amarillo,
Víctor Manuel,
te envuelven en suave brillo.

Víctor Manuel,
con un ángel amarillo
y un sinsonte de papel
pinta envuelto en suave brillo.

Un sinsonte de papel
y un angelón amarillo:
Yace envuelto en suave brillo
Víctor Manuel.

Víctor Manuel
pinta envuelto en suave brillo,
entre un ángel amarillo
y un sinsonte de papel.

Con un ángel amarillo
y un sinsonte de papel,
pasa envuelto en suave brillo
Víctor Manuel.

ENTRE UN ÁNGEL AMARILLO
Y UN SINSONTE DE PAPEL
YACE ENVUELTO EN SUAVE BRILLO
VÍCTOR MANUEL.

(La rueda dentada, 1972)

Abela

Aquí aparece Abela,
provincial y redondo;
tabaqueros, guajiros,
sirviéndole de fondo.

Mujer de verde mano
(¿será que no lo sabe?)
espera que el pintor
la otra mano le acabe.

La vaca arquitectónica
a decorar se atreve
en Kargamis tal vez
algún bajorrelieve.

Los novios ¿no se casan?
La ninfa ¿a quién espera?
¡Los pobres! Desde el lienzo
no ven la primavera.

El Rey Arcaico es
¿hitita, jonio, huno?
Yo escribiría debajo:
Don Miguel de Unamuno.

Me voy. Y ya en la puerta
mi salida coincide
con el Bobo. Me nombra,
me saluda y despide.

¡Adiós, Abela!, digo.
Y el Bobo: ¡Soy el Bobo!
(Al sonreír mostraba
sus colmillos de lobo.)

(*La rueda dentada,* 1972)

Amelia Peláez

Amelia es como un mundo submarino.
Amelia es como un mundo subterráneo.
Amelia pasa en un gran soplo, y queda.
Queda en un soplo vasto,
la pintura girando.

¡Ahí viene Amelia! Llega una manada
de bruscos búfalos, de montes fragmentados. Flores
terribles que se deshacen para hacerse de nuevo.
¡Vamos al mar! Prepara tu escafandra más útil.
Amelia es como un mundo de algas y de sal,
la pintura girando.

¡Vamos al bosque! Pide tus zapatos más gruesos.
Hay capas de hojas muertas cubiertas por capas de hojas vivas.
Amelia es como un mundo subpradera,
Amelia es como un mundo subtormenta
de árboles que se alcanzan y se embisten,
la pintura girando.

Esos colores ciegan; no los mires.
Son colores que rugen en la noche; no los oigas.
En vano, en vano. Para siempre
los verás, los oirás,
la pintura girando.

(La rueda dentada, 1972)

Ponce

Grande como un gran pimiento,
Fidelio Ponce tiene una gran nariz
llena de punticos negros.

Fidelio Ponce tiene un sombrerón,
grande como un gran paraguas,
para engañar al sol.

Fidelio Ponce es amigo de un gran pintor
que se llama Fidelio Ponce
desde que nació.

Ponce tiene razón.
Fidelio Ponce es un gran pintor.

A veces:
> *¿Qué será de Ponce,*
> *que será?*
Y otras:
> *Ha venido Ponce,*
> *volvió ya...*

Ausencias y regresos con música de son
y todo bajo el techo de su sombrerón.

Como el Ariguanabo,
Fidelio se sumerge y luego sale
por donde menos se le espera.
(Un sábado del siglo XVI,
mientras lo buscaban en Camagüey,
pasóse todo el día en Toledo
viendo pintar al Greco, su maestro.
Hizo bien.)

(La rueda dentada, 1972)

Esta familia portuguesa

Esta familia portuguesa,
que sale en grupo cada día,
dejando la casa sin sueños,
pues se queda la casa vacía,

es una troupe funambulesca,
dispensadora de alegría.
Danza Rui con Juan y Teresa...
Rogerio sopla una chirimía.

Se dirigen a cualquier parte,
a condición de que haya arte,
de que haya arte y que sea de día.

De noche cada quien regresa.
Vuelve Rui con Juan y Teresa...
Rogerio sopla en su chirimía.

(La rueda dentada, 1972)

Elegía por Martín Dihigo

Así como después de la tormenta
el guardabosques sale
para saber cuál ácana,
cuál guayacán, cuál ébano
cayó desarraigado por el viento,
así yo me detuve ante su cuerpo,
tronco de ramas frescas, húmedas todavía,
y lloré su caída.

                    Ahí viene.
Se lo llevan.
Con la fuerte cabeza reclinada
en su guante de pitcher va Dihigo
el rostro de ceniza (la muerte de los negros)
y los ojos cerrados persiguiendo
una blanca pelota, ya la última.

Silencio.
Callados los amigos. El cortejo
pisa calles de fieltro.
Ojos enrojecidos miran de las ventanas.

Está hecha de lágrimas la tarde.

                                        (*La rueda dentada*, 1972)

Agramonte

                    Camagüey, Camagüey...

Oh llanura materna, tierra mía,
ancho cuero de toro, seco y duro:
Ni un monte tienes de granito puro
que interrumpa tu tensa geografía.

¿Ni un monte tienes de granito puro,
oh llanura materna, tierra mía,
que interrumpa tu tensa geografía,
ancho cuero de toro, seco y duro?

Se alza Agramonte de granito puro,
oh llanura materna, tierra mía,
ancho cuero de toro, seco y duro:

Alto sobre tu tensa geografía
un monte se alza de granito puro,
que es un ojo sin sueño, tierra mía.

(Poemas no incluidos en colecciones anteriores.)

A Juan Marinello

El tiempo, Juan, con su fluir callado,
gota a gota desgrana nuestra vida
y deja siempre en su impalpable huida
a golpe y golpe el corazón marcado.

Selva o jardín, violento bosque o prado,
cerrada cicatriz o abierta herida,
blasones son de quien blasones cuida,
a golpe y golpe el corazón marcado.

Resplandece en jardín y bosque y prado
tu estatura de estatua sostenida
bajo un fulgor de sueño conquistado:

El tiempo, Juan, con su fluir callado,
la sonrisa te dio de quien olvida,
a golpe y golpe el corazón marcado.

(Poemas no incluidos en colecciones anteriores.)

Brindis con Salvador Allende en La Habana

Tú, que nunca desdeñas un mojito,
acepta el puro brindis que hoy te hacemos,
alta la copa y aún más alto el grito:
¡Salvador, patria o muerte, venceremos!

De nuestra sangre el torpe yanqui ahíto,
caerá con tanto golpe que le demos;
alto el garrote y aún más alto el grito:
¡Salvador, patria o muerte, venceremos!

Con un buril de fuego quede escrito
todo lo que decir y hacer podemos
frente al viejo, imperial sangriento mito.

Acepta el puro brindis que hoy te hacemos,
alta la frente y aún más alto el grito:
¡Salvador, patria o muerte, venceremos!

(Poemas no incluidos en colecciones anteriores.)

Poemas para niños

Un son para niños antillanos

Por el Mar de las Antillas
anda un barco de papel:
Anda y anda el barco barco,
sin timonel.

De La Habana a Portobelo,
de Jamaica a Trinidad,
anda y anda el barco barco,
sin capitán.

Una negra va en la popa,
va en la proa un español:
Anda y anda el barco barco,
con ellos dos.

Pasan islas, islas, islas,
muchas islas, siempre más;
anda y anda el barco barco,
sin descansar.

Un cañón de chocolate
contra el barco disparó,
y un cañón de azúcar, zúcar,
le contestó.

¡Ay, mi barco marinero,
con su casco de papel!
¡Ay, mi barco negro y blanco
sin timonel!

Allá va la negra negra,
junto junto al español;
anda y anda el barco barco
con ellos dos.

                                        (*El son entero*, 1947)

Poema con niños

                                        A Vicente Martínez.

*La escena, en un salón familiar. La madre, blanca, y su
hijo. Un niño negro, uno chino, uno judío, que están de
visita. Todos de doce años más o menos. La madre, sen-
tada, hace labor, mientras a su lado, ellos juegan con
unos soldaditos de plomo.*

I

LA MADRE. *(Dirigiéndose el grupo.)* ¿No ven? Aquí
     están mejor que allá, en la calle... No sé cómo hay
     madres despreocupadas, que dejan a sus hijos solos
     todo el día por esos mundos de Dios. *(Se dirige al
     niño negro.)* Y tú, ¿cómo te llamas?

EL NEGRO.   ¿Yo? Manuel. *(Señalando al chino.)* Y éste
     se llama Luis. *(Señalando al judío.)* Y éste se llama
     Jacobo...

LA MADRE.   Oye, ¿sabes que estás enterado, eh? ¿Vives cerca de aquí?

EL NEGRO.   ¿Yo? No, señora. *(Señalando al chino.)* Ni éste tampoco. *(Señalando al judío.)* Ni éste...

EL JUDÍO.   Yo vivo por allá por la calle de Acosta, cerca de la Terminal. Mi papá es zapatero. Yo quiero ser médico. Tengo una hermanita que toca el piano, pero como en casa no hay piano, siempre va a casa de una amiga suya, que tiene un piano de cola... El otro día le dio un dolor...

LA MADRE.   ¿Al piano de cola o a tu hermanita?

EL JUDÍO.   *(Ríe.)* No; a la amiga de mi hermanita. Yo fui a buscar al doctor...

LA MADRE.   ¡Anjá! Pero ya se curó, ¿verdad?

EL JUDÍO.   Sí; se curó en seguida; no era un dolor muy fuerte...

LA MADRE.   ¡Qué bueno! *(Dirigiéndose al niño chino.)* ¿Y tú? A ver, cuéntame. ¿Cómo te llamas tú?

EL CHINO.   Luis...

LA MADRE.   ¿Luis? Verdad, hombre, si hace un momento lo había chismeado el pícaro de Manuel... ¿Y qué, tú eres chino de China, Luis? ¿Tú sabes hablar en chino?

EL CHINO.   No, señora; mi padre es chino, pero yo no soy chino. Yo soy cubano, y mi mamá también.

EL HIJO.   ¡Mamá! ¡Mamá! *(Señalando al chino.)* El padre de éste tenía una fonda, y la vendió...

LA MADRE.   ¿Sí? ¿Y cómo lo sabes tú, Rafaelito?

EL HIJO.   *(Señalando al chino.)* Porque éste me lo dijo.
¿No es verdad, Luis?

EL CHINO.   Verdad, yo se lo dije, porque mamá me lo
contó.

LA MADRE.   Bueno, a jugar, pero sin pleitos, ¿eh? No
quiero disputas. Tú, Rafael, no te cojas los soldados
para ti solo, y dales a ellos también...

EL HIJO.   Sí, mamá, si ya se los repartí. Tocamos a seis
cada uno. Ahora vamos a hacer una parada, porque
los soldados se marchan a la guerra...

LA MADRE.   Bueno, en paz, y no me llames, porque estoy
por allá dentro... *(Vase.)*

II

*Los niños, solos, hablan mientras juegan con sus solda-
ditos.*

EL HIJO.   Estos soldados me los regaló un capitán que
vive ahí enfrente. Me los dio el día de mi santo.

EL NEGRO.   Yo nunca he tenido soldaditos como los
tuyos. Oye: ¿no te fijas en que todos son iguales?

EL JUDÍO.   ¡Claro! Porque son de plomo. Pero los soldados de verdad...

EL HIJO.   ¿Qué?

EL JUDÍO.   ¡Pues que son distintos! Unos son altos y
otros más pequeños. ¿Tú no ves que son hombres?

EL NEGRO.   Sí, señor; los hombres son distintos. Unos
son grandes, como éste dice, y otros son más chiqui-
tos. Unos negros y otros blancos, y otros amarillos
(*señalando al chino*) como éste... Mi maestra dijo
en la clase el otro día que los negros son menos que
los blancos... ¡A mí me dio una pena!...

EL JUDÍO.   Sí... También un alemán que tiene una bo-
tica en la calle de Compostela me dijo que yo era un
perro, y que a todos los de mi raza los debían matar.
Yo no lo conozco ni nunca le hice nada. Y ni mi
mamá ni mi papá tampoco... ¡Tenía más mal ca-
rácter!...

EL CHINO.   A mí me dijo también la maestra, que la
raza amarilla era menos que la blanca... La blanca
es la mejor...

EL HIJO.   Sí, yo lo leí en un libro que tengo: un libro
de geografía. Pero dice mi mamá que eso es mentira;
que todos los hombres y todos los niños son iguales. Yo no sé cómo va a ser, porque fíjate que ¿no
ves? yo tengo la carne de un color, y tú (*se dirige al
chino*) de otro, y tú (*se dirige al negro*) de otro, y
tú (*se dirige al judío*) y tú... ¡Pues mira qué cosa!
¡Tú no, tú eres blanco igual que yo!

EL JUDÍO.   Es verdad; pero dicen que como tengo la
nariz, así un poco... no sé... un poco larga, pues
que soy menos que otras gentes que la tienen más
corta. ¡Un lío! Yo me fijo en los hombres y en otros
muchachos por ahí, que también tienen la nariz larga,
y nadie les dice nada...

EL CHINO.   ¡Porque son cubanos!

EL NEGRO.   (*Dirigiéndose al chino.*) Sí... Tú también
eres cubano, y tienes los ojos prendidos como los
chinos...

EL CHINO.   ¡Porque mi padre era chino, animal!

EL NEGRO.   ¡Pues entonces tú no eres cubano! ¡Y no
tienes que decirme animal! ¡Vete para Cantón!

EL CHINO.   ¡Y tú, vete para África, negro!

EL HIJO.   ¡No griten, que viene mamá, y luego va a
pelear!

EL JUDÍO.   ¿Pero tú no ves que este negro le dijo chino?

EL NEGRO.   ¡Cállate, tú, judío, perro, que tu padre es
zapatero y tu familia...!

EL JUDÍO.   Y tú, carbón de piedra, y tú, mono, y tú...

(*Todos se enredan a golpes, con gran escándalo. Aparece
la madre, corriendo.*)

III

LA MADRE.   ¡Pero qué es eso! ¿Se han vuelto locos?
¡A ver, Rafaelito, ven aquí! ¿Qué es lo que pasa?

EL HIJO.   Nada, mamá, que se pelearon por el color...

LA MADRE.   ¿Cómo por el color? No te entiendo...

EL HIJO.   Sí, te digo que por el color, mamá...

EL CHINO.   (*Señalando al negro.*) ¡Señora, porque éste
me dijo chino, y que me fuera para Cantón!

EL NEGRO.   Sí, y tú me dijiste negro, y que me fuera
para África...

LA MADRE.   (*Riendo.*) ¡Pero, hombre! ¿Será posible?
¡Si todos son lo mismo!...

EL JUDÍO.   No, señora; yo no soy igual a un negro...

EL HIJO.   ¿Tú ves, mamá, como es por el color?

EL NEGRO.   Yo no soy igual a un chino...

EL CHINO.   ¡Míralo! ¡Ni yo quiero ser igual a ti!

EL HIJO.   ¿Tú ves, mamá, tú ves?

LA MADRE.   *(Autoritariamente.)* ¡Silencio! ¡Sentarse y
escuchar! *(Los niños obedecen, sentándose en el suelo, próximos a la madre, que comienza):*

La sangre es un mar inmenso
que baña todas las playas...
Sobre sangre van los hombres,
navegando en sus barcazas:
Reman, que reman, que reman,
¡nunca de remar descansan!
Al negro de negra piel
la sangre el cuerpo le baña;
la misma sangre, corriendo,
hierve bajo carne blanca.
¿Quién vio la carne amarilla,
cuando las venas estallan,
sangrar sino con la roja
sangre con que todos sangran?
¡Ay del que separa niños,
porque a los hombres separa!
El sol sale cada día,
va tocando en cada casa,
da un golpe con su bastón,
y suelta una carcajada...
¡Que salga la vida al sol,
de donde tantos la guardan,
y veréis como la vida
corre de sol empapada!
La vida vida saltando,

la vida suelta y sin vallas,
vida de la carne negra,
vida de la carne blanca,
y de la carne amarilla,
con sus sangres desplegadas...

*(Los niños, fascinados, se van levantando, y rodean a la
madre, que los abraza formando un grupo con ellos, pegados a su alrededor. Continúa):*

Sobre sangre van los hombres
navegando en sus barcazas:
Reman, que reman, que reman,
¡nunca de remar descansan!
¡Ay de quien no tenga sangre,
porque de remar acaba,
y si acaba de remar,
da con su cuerpo en la playa,
un cuerpo seco y vacío,
un cuerpo roto y sin alma,
un cuerpo roto y sin alma!...

(El son entero, 1947)

*Canción de cuna
para despertar a un negrito*

> Dórmiti, mi nengre,
> mi nengre bonito...
> E. BALLAGAS.

Una paloma
cantando pasa:
—¡Upa, mi negro,
que el sol abrasa!
Ya nadie duerme,
ni está en su casa;
ni el cocodrilo,
ni la yaguasa,

ni la culebra,
ni la torcaza...
Coco, cacao,
cacho, cachaza,
¡upa, mi negro
que el sol abrasa!

Negrazo, venga
con su negraza.
¡Aire con aire,
que el sol abrasa!
Mire la gente,
llamando pasa;
gente en la calle,
gente en la plaza;
ya nadie queda
que esté en su casa...
Coco, cacao,
cacho, cachaza,
¡upa, mi negro,
que el sol abrasa!

Negrón, negrito,
ciruela y pasa,
salga y despierte,
que el sol abrasa,
diga despierto
lo que le pasa...
¡que muera el amo,
muera en la brasa!
Ya nadie duerme,
ni está en su casa:
¡Coco, cacao,
cacho, cachaza,
upa, mi negro,
que el sol abrasa!

(*La paloma de vuelo popular,* 1958)

Sapito y Sapón

Sapito y Sapón
son dos muchachitos
de buen corazón.
El uno, bonito,
el otro, feón;
el uno, callado,
el otro, gritón;
y están con nosotros
en esta ocasión
comiendo arroz blanco,
casabe y lechón.

¿Qué tienes, Sapito,
que estás tan tristón?
Madrina, me duele
la boca, un pulmón,
la frente, un zapato
y hasta el pantalón,
por lo que me gusta
su prima Asunción.
                    (¡Niño!)

¿Y a ti, qué te pasa?
¿Qué tienes, Sapón?
Madrina, me duele
todo el esternón,
la quinta costilla
y hasta mi bastón,
pues sé que a Sapito
le sobra razón.
              (¡Pero niño!)

Sapito y Sapón
son dos muchachitos
de buen corazón.

                (Por el mar de las Antillas anda un barco de papel.)

Por el alto río...

Por el alto río,
por la bajamar,
Sapito y Sapón
se han ido a jugar.
En una barquita
de plata y cristal,
ayer por la tarde
los vieron pasar
con Pedro Gorgojo,
con Pancho Pulgar,
con Juan Ropavieja
y Aurora Boreal.
¡Qué suave era el viento,
qué azul era el mar,
qué blancas las nubes
en lento vagar,
qué alegres las islas
de rojo coral!
Por el alto río,
por la bajamar
Sapito y Sapón
se han ido a jugar.

            (*Por el mar de las Antillas anda un barco de papel.*)

Viaje de Sapito y Sapón

Sapito y Sapón,
con cuatro maracas
y un solo bongó,
viajan de Quimbumbia
hasta Quimbombó
en un avioncito
de medio motor.
Altura: Dos metros.
El clima: Calor.

Pilotos: Sapito,
Sapito y Sapón.
En el alto cielo
brillando está el sol.
(Un plato de vidrio
que en el comedor
la tía Rosario
dejó por error.)
Luego, la sopera
de Doña Margot
lanzando columnas
de ardiente vapor,
lago en cuyas ondas
Luzbel se bañó;
y el derrocadero
del Gran Tenedor,
y el Pico Cuchillo.
(Llamado Maslov
por el sabio ruso
que lo descubrió),
y la cucharona
vulgo cucharón,
y diez cucharitas
y un tirabuzón...
¡Cuántos animales
de aspecto feroz,
cubiertos de salsa,
de salsa y arroz!
De pronto se oye:
«¡Aquí, Quimbombó!»,
y el pájaro lindo
que tanto voló,
ya llega, ya llega,
ya llega... ¡Llegó!

(Por el mar de las Antillas anda un barco de papel.)

Dos venaditos

Dos venaditos que se encontraron,
buenos amigos los dos quedaron;
grandes amigos los dos quedaron,
dos venaditos que se encontraron.

Los cazadores que los persiguen
no los alcanzan, aunque los siguen,
pues nada pueden, aunque los siguen,
los cazadores que los persiguen.

(Por el mar de las Antillas anda un barco de papel.)

Barcarola

El mar con sus ondas mece
la barca, mece
la barca junto a la costa
brava, la mece
el mar.

Del hondo cielo la noche
cae, la noche
con su gran velo flotando
cae la noche
¡al mar!

(Por el mar de las Antillas anda un barco de papel.)

El pajarillo

Un pajarillo en la umbría
canta saludando el día.
¿Quién es, quién es el cantor?
—¿El pitirre?

—No, señor.

—¿El tomeguín?

—No, señor.

—¿El negrito?

—No, señor.

En lo profundo del monte,
en lo negro de la umbría,
canta un pajarillo el día.
—¿Cómo se llama?

—Sinsonte.

—Sí, señor.

>   (*Por el mar de las Antillas anda un barco de papel.*)

Fidel

Fidel,
el nombre de Cuba lleva
por siempre en el pecho fiel.

Fidel,
fue quien levantó la gleba
hasta el mirto y el laurel.

Fidel,
el que alzó una patria nueva
sin odio, crimen ni hiel.

Fidel.

>   (*Por el mar de las Antillas anda un barco de papel.*)

¿Quién eres tú?

En un lugar de este monte,
cuando yo era pequeñito,
encontré un camaroncito
hablando con un sinsonte.
¿Quién eres tú?
Yo soy el Diablo Cojuelo.
¿Quién eres tú?
Yo soy la estrella y la nube.
¿Quién eres tú?
Yo soy el viento que pasa.
¿Quién eres tú?
Yo soy el güije del río.
¿Quién eres tú?
Yo soy la yerba temblando
de miedo bajo el rocío...

(*Por el mar de las Antillas anda un barco de papel.*)

Indice

POEMAS MULATOS

POEMAS SOCIALES Y POLÍTICOS

ELEGÍAS (1948-1958)

EL AEROPLANO Y OTROS POEMAS

POEMAS DE AMOR

POEMAS SATÍRICOS